シリーズ「遺跡を学ぶ」別冊04　　　　新泉社

ビジュアル版
# 古墳時代
# ガイドブック

若狭　徹

シリーズ「遺跡を学ぶ」別冊04
ビジュアル版　古墳時代ガイドブック

● 目次

- 01 はじまりは卑弥呼から ……… 4
- 02 古墳文化のプロローグ ……… 8
- 03 古墳のかたちの意味をさぐる ……… 12
- 04 外形と埋葬施設のモデルチェンジ ……… 16
- 05 時代をうつす副葬品 ……… 20
- 06 巨大前方後円墳の移り変わり—1 ……… 24
- 07 巨大前方後円墳の移り変わり—2 ……… 28
- 08 埴輪とは何か ……… 32
- 09 前方後円墳の実像 ……… 36
- 10 ヤマトの王と地方の王 ……… 40
- 11 さかんな東アジアとの外交 ……… 44
- 12 渡来技術と手工業 ……… 48

装　　幀　新谷雅宣
本文図版　松澤利絵

13　古代にもあった韓流ブーム——52
14　居館と水利——56
15　明らかになったムラの実態——60
16　古墳時代人の暮らしぶり——64
17　広がる小区画水田——68
18　寒冷化と神への祈り——72
19　海民の考古学——76
20　古墳時代の社会景観——80
21　最後の古墳、古墳の周辺——84
22　まとめ——古墳時代の社会をめぐって——88

古墳時代を知る博物館と史跡公園——92
参考文献——93

# 01 はじまりは卑弥呼から

日本の小学生のあいだで最もよく知られている歴史上の人物は、倭国の女王卑弥呼だそうです[*]。歴史の授業で最初のほうにでてくる人物で、ミステリアスな女性というイメージもあいまって、子供たちの記憶に深く刻みつけられているのでしょう。

卑弥呼は、当時倭国とよばれた日本で、西暦二〜三世紀（弥生時代の終わりごろ）をまたいで生きた人物です。時は、中国の文献に「倭国大乱」と記された戦乱の時代。日本のなかの小さな国々が、宗教のちがいや物資の流通権をめぐって戦いに明け暮れていました。国を治める王たちは、戦に疲れても刃をなかなか収められませんでした。男のプライドが許さなかったのでしょうか。そこで、皆で卑弥呼をおしたてて王とし、男たちには無いマジカルな権威によって、戦乱に終止符を打つことができたのです。

しかし、卑弥呼にしたがう西日本の国々の東方には、卑弥狗呼という男王が治める狗奴国[*]が立ちはだかりました。そこで卑弥呼は、中国の魏[*]の傘下に入るための外交をおこない、この帝国をバックにつけてライバルを凌駕しようとしました。このため、卑弥呼と彼女が都を置いた邪馬台国の名は、中国の歴史書『魏志倭人伝』[*]に書き残されたのです。

[*] 国立教育政策研究所平成一九年調べ。

[*] 魏
後漢のあとに並立した三国の一つで、華北を統一した国。二二〇〜二六五年。

[*] 狗奴国
東海地方に存在したと考える説が有力。

4

卑弥呼は二四七年ごろに亡くなったようですが、『倭人伝』には彼女のために「径百余歩もの墓が盛大に築かれた」と記されています。その墓が、古墳時代の幕開けを告げる最初の前方後円墳ではないか……と多くの考古学者が考えているのです。卑弥呼こそ、古墳時代を開いた偉大な人物なのかもしれません。小学生に人気があるのも納得です。

卑弥呼の世紀のあと、大きな前方後円墳が岩手県から鹿児島県にいたる広い範囲に造られる時代が到来しました。この時代を古墳時代とよびます。およそ三世紀中ごろから六世紀末ごろまでのあいだに、五〇〇〇基を越える前方後円墳が列島中に築造されました。日本の国土の広さから考えれば、古墳時代は特異な大土木工事の時代だったのです。

しかし、古墳時代の人びとはお墓だけを造っていたわけではありません。さまざまな手工業をおこし、効率的な農業経営にも苦心していました。東アジアの国々とダイナミックに交流し、ときには軍隊まで送り込む一方で、自然災害におびえて神々に祈っている側面もあったのです。

こうしたなかで、巨大な前方後円墳が社会のシンボルとして造りつづけられたのは、それなりのわけがあったからに相違ありません。それはどんな理由だったのでしょうか。

奈良盆地に巨大な平城京を営み、きらびやかな寺院が軒を競い、役人たちが国の政治にいそしんだ奈良時代の前に、三五〇年もの時を刻んだ古墳時代。その実像について、本書はできるだけ簡潔に、そしてその全体像をイメージできるよう、わかりやすく紹介していきたいと思います。

＊魏志倭人伝
正式には『三国志』魏書烏丸鮮卑東夷伝倭人条。三世紀末に書かれた魏・呉・蜀の三国の歴史書で、ここに朝貢した周辺国の国情も記されている。

❺ **卑弥呼の鏡** 奈良県黒塚古墳出土鏡群。1面の画文帯神獣鏡（最も小さいもの）と多数の三角縁神獣鏡。前者は朝鮮半島の付け根の遼東地方に存在した公孫氏政権（燕）を介して、後者は公孫氏を倒した魏から下賜された鏡と考える説が有力だが、諸説が並立し、いまだ決着していない。

❻ **卑弥呼のイメージ** 日本画家の安田靫彦（1884-1978）が1968年に描いた「大和のヒミコ女王」。装身具に時期がそぐわないものもあるが、ミステリアスな卑弥呼のイメージがよく伝わってくる。

❼ 3世紀のアジア

## 01　2〜3世紀の東アジアと倭

弥生時代には、戦に備え、壕を巡らすムラや、高所に位置するムラが造られた。当時の西日本には、多くの国々が並び立ち、しのぎを削っていたのである。遺跡からは戦死者の墓もみつかり、はげしい戦いの様子が伝わってくる。その緊迫した状況は、遠く東日本にも伝わった。
2世紀の末、国々に共立された卑弥呼は、中国に使いを送り、その権威をバックに戦乱の世を鎮めた。こうして生まれた政治的なまとまりの登場が、古墳時代のプロローグとなる。

❶ 戦に備えたムラ　大阪府古曽部遺跡。弥生後期。高槻市街地を望む丘陵上にあり、尾根を囲んで深い壕が巡っていた。弥生後期にはこうした集落が一定間隔で存在し、地域防御のネットワークが形成されていた。

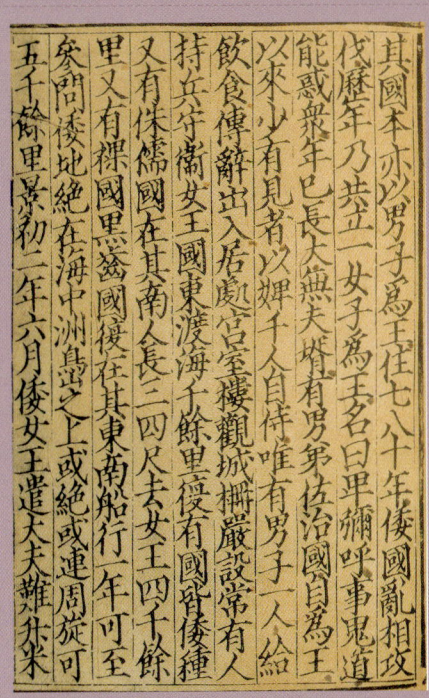

❸ 宋版魏志倭人伝　3世紀後半に著された中国の歴史書の写し。「倭国乱」、「卑弥呼」などの文字がみえる。

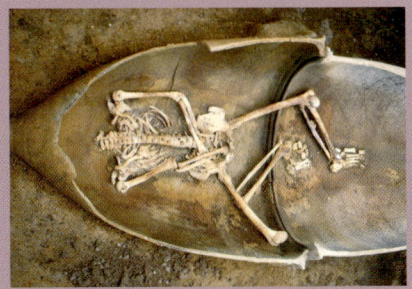

❷ 戦の犠牲者　佐賀県吉野ヶ里遺跡。弥生中期。甕棺に葬られた首のない遺体。戦士であろうか。西日本の弥生遺跡では、時折槍を打ち込まれた遺体なども見いだされる。

❹ 弥生ムラの復元　佐賀県吉野ヶ里遺跡。環濠に囲まれた弥生時代の大集落。弥生後期には、こうした集落を拠点にした王が覇を競った。

## 02 古墳文化のプロローグ

古墳文化は、三世紀中ごろから六世紀末ごろまで、日本列島の中央部に栄えた文化です。同じころ、沖縄・南西諸島には**貝塚後期文化**\*が、北海道には**続縄文文化**\*が存在していました。南北に長く、気候が異なる日本列島には三つの文化圏が並んで栄えていたのです。南と北の文化は狩猟・採集によって社会を維持していましたが、古墳文化はそれと異なり、農耕と手工業を組み合わせた生産社会を生み出しました。前身である弥生文化をベースとして、階層を発達させ、国家への道のりをたどっていった文化だったのです。

考古学者は、古墳文化がつづいた時間帯を古墳時代として括りますが、具体的には前方後円墳の出現と終わりを目安としています。なぜ前方後円墳かといえば、それが単なる墓にとどまらず、政治や社会を維持するために大切な役割を果たしていたと考えられるからです。

では、最初の前方後円墳とはどれでしょうか。学者によって意見が分かれています。円形の**墳丘**\*に方形の張り出しをつけた前方後円墳の祖形は、弥生時代後期後半（二世紀）の岡山県楯築墳丘墓（墳丘長八〇㍍）からはじまりました。同じころ、山陰から北陸にかけての日本海側では、方形を基調にした台状墓や**四隅突出墓**\*が造られ、墳丘に石を貼り、玉や

\* 貝塚後期文化
列島中央部の弥生時代から平安時代に並行。漁労を中心に、貝製品の交易をおこなった文化。

\* 続縄文文化
列島中央部で縄文時代が終わった後から、平安前期並行までつづいた文化。北海道からサハリン南部・中部千島まで広がりをもつ。

\* 墳丘
土を盛り上げた（もしくは丘を削り出した）墓の高まり。

8

鉄製品などの副葬品が納められました。東海地方などでは、方形の墳丘に張り出しをつけた前方後方形の墳墓もあらわれました。弥生時代の王たちは、こうして各地で墓づくりを競い、地域色を鮮明にします。

三世紀前半には、奈良盆地南西部に墳丘長が一〇〇メートルにおよぶ前方後円形の墳丘墓（纏向石塚墳丘墓など）が出現。やがて三世紀中ごろになると、同地区に隔絶した大きさの箸墓古墳（二八〇メートル）が成立します。三世紀前半の段階からを前方後円墳とする意見もありますが、この画期的で巨大な箸墓古墳をもって、定式化した前方後円墳の成立（古墳時代の開始）とする意見が学会の主流です。本書もこの説にしたがいます。

古墳時代の開始年代は、箸墓と同時期の古墳から出土した中国製の紀年鏡（鋳造年号が記された鏡）の年代検討や、理化学的分析から得られた暦年代を合わせて推定しています。後者は、古墳出土の土器に付着したススやコゲの分析から年代を求める放射性炭素年代測定法（AMS法）＊と、遺跡出土樹木の年輪の計測から年代を定める年輪年代法＊を組み合わせて精度を高めています。このことから三世紀中ごろの年代観はほぼ動かないとみられます。

01に述べた『魏志倭人伝』の記述から、女王卑弥呼の亡くなった年は二四七年ごろと考えられます。これはまさに三世紀中ごろ。箸墓古墳の築造推定年代に近いので、この古墳を卑弥呼の墓とする説が有力です。つづいて箸墓古墳と同じ形をした、やや規模の小さい前方後円墳が西日本各地につくられます。このとき、前方後円墳を共有した豪族たちの連合（ヤマト政権）＊が成立したと考えられるのです。

＊四隅突出墓
方形の四隅が張り出した形の墳墓。

＊放射性炭素年代測定法
動植物が死んだ後、そこに含まれていた炭素14が減少する量を計測し、年代を求める方法。AMS法は加速器で計測する、より精度の高い方法。

＊年輪年代法
杉など特定樹種の年輪パターン（気候による育成を反映）を現代から過去に繋げ、絶対年代を導く方法。

＊ヤマト政権
考古学者の白石太郎氏は、前方後円墳を共有する広域の枠組みを「ヤマト政権」、その中心となる畿内の政治組織を「ヤマト王権」と規定している。本書もこれに従う。

9

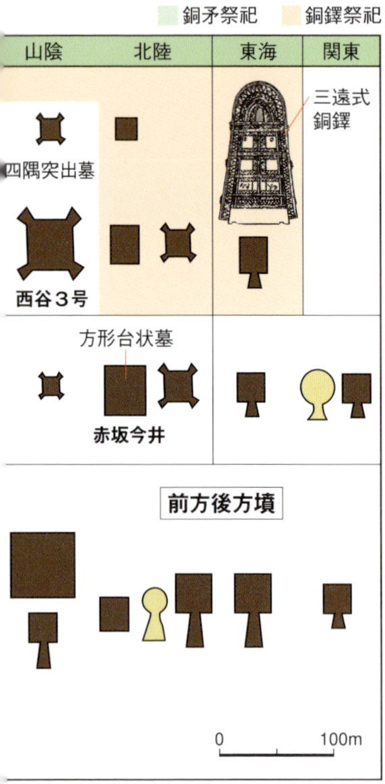

|  | 山陰 | 北陸 | 東海 | 関東 |
|---|---|---|---|---|
| | 四隅突出墓 | | 三遠式銅鐸 | |
| | 西谷3号 | | | |
| | 方形台状墓 | | | |
| | 赤坂今井 | | | |
| | 前方後方墳 | | | |

銅矛祭祀　銅鐸祭祀

0　　100m

❹ **墳墓・古墳の変遷図**　青銅器による祭祀が終わり、各地に王墓が出現する。

❺ **箸墓古墳**　奈良県の三輪山西麓に成立した最初の巨大前方後円墳。

❻ **大和の王墓**　奈良県ホケノ山古墳（墳丘墓）。墳長は約80m。前方後円墳の祖型である纒向型前方後円墳。埋葬施設は木槨（木の部屋）の周囲を石で覆ったもので、朝鮮半島の伽耶の墓制の影響とみられる。

## 02 弥生王墓から古墳へ

弥生の国々はそれぞれ独自の文化をもち、墓もまた地域色あふれるものであった。弥生後期になると、各地で有力な個人（王）の墓が誕生する。日本海沿岸から東日本には方形の墓、瀬戸内沿岸には円形の墓が多く造られたが、3世紀中ごろになって奈良盆地に突出した前方後円墳（箸墓古墳）が出現。連合した各地の首長もまた、前方後円墳を築造するようになる。

❶ **吉備の弥生王墓** 岡山県楯築墳丘墓復元図。円丘に2カ所の突出部がついた全長約80mの墳丘墓。

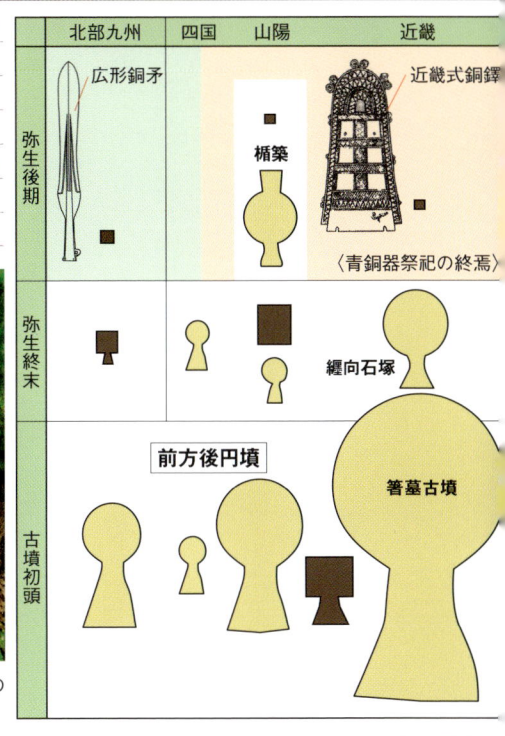

❷ **出雲の弥生王墓** 島根県西谷3号墓復元模型。方丘の四隅が張り出しているため「四隅突出墓」の名でよばれる。全長45m。

❸ **王墓に献じられた土器** 西谷3号墓の出土品。円筒埴輪のルーツとなる特殊器台（奥中央）をはじめ、墓に備えられた容器類が揃う。特殊器台とそれに載った壺は吉備の製品であり、出雲の王のために運ばれた。

# 03 古墳のかたちの意味をさぐる

古墳には前方後円墳のほかにも多様な形がありました。葬られた人の立場、階層、時期的な流行、地方色などをつよく反映していたと考えられます。

**前方後円墳\*** 三世紀中ごろに成立し、五世紀には岩手県から鹿児島県まで広まり、七世紀初めに消滅しました。墳丘長は一〇メートルほどのものから、数百メートルのものまであり、なかでも五世紀中葉の大阪府大仙陵古墳（仁徳陵古墳）が最大で、その墳丘長は四八六メートル（水没部を含めると五一三メートル）もあります。前方後円墳は、地域で最上位の首長が採用しており、ヤマト王権と密接な関係を結んだことを宣言するものでした。なお、帆立貝形古墳とよばれる前方部の長さが短いものもあり、前方後円墳よりも下位の位置づけとみられています。

**前方後方墳 古墳前期\***（三・四世紀）に広く盛行したもので、基本的に前方後円墳の下位に位置づくものです。ヤマト政権に二次的に参画した勢力が採用した墳形とみられます。形のルーツは東海地方西部の弥生時代の墳丘墓にあります。弥生時代終末から古墳時代前期前半にかけて東海地方の土器が東日本一帯に移動し、その後を覆うようにヤマト王権と密接な関係を結んだことを宣言するものでした。このため、東方への古墳文化の波及には、最初に東海地方の勢力が関係したと考えら

\* 前方後円墳は、西日本では六世紀後半から末に、関東では七世紀初めに消滅した。本書ではヤマト王権中枢での前方後円墳の消滅をもって、古墳時代の終焉ととらえる。

\* 古墳時代は前・中・後期の三段階に区分される。諸説があるが、本書では前期を三世紀中葉から四世紀、中期を五世紀、後期を六世紀として取り扱う。

\* 前方後方形の墳墓を邪馬台国と対立していた狗奴国の墓制とする説もある。

12

れます。つづいてヤマト王権の影響が強くおよび、東日本の上位の首長墓は前方後円墳に転換。前方後方墳は前期のうちで消滅します。ただし、島根県西部では、山代二子塚古墳（九四トル）のように古墳時代後期（六世紀）にも前方後方墳が造られるようです。古代の**出雲神話**＊に代表されるように、この地域の特殊な位置づけをあらわしているようです。

**円墳**　前方後円墳の下位に位置づく最も一般的な古墳です。中期（五世紀）から発達する**群集墳**＊でも主体を占めます。小型の古墳が多いものの、埼玉県丸墓山古墳のように直径一〇〇メートルにおよぶものもあります。直径五〇メートルを越えるような大型の円墳は、墳丘長七〇メートルくらいの中型前方後円墳の土量を凌いでおり、被葬者は十分な経済力や動員力をもっていたはずです。実力はありながらもヤマト王権との関係が薄いため、前方後円墳を築けなかった（築かなかった）首長の墓でしょう。なお、同時期に前方後円墳に隣接して造られた円墳は、その地域では前方後円墳被葬者に次ぐ第二ランクの有力層とみられます。

**方墳**　この後、21項で扱う前方後円墳消滅後（飛鳥時代）の方墳は別系統であり、ランクでは下位に位置しました。中～後期では、被葬者の職や出自（生まれ育ち）をあらわすようになり、奈良県五條猫塚古墳（一辺二七メートル）のように鍛冶道具や渡来系遺物を出土する例がみられます。まれに石だけで低い墳丘を積み上げた方形の積石塚も造られます。古墳時代の鍛冶（鉄器生産）には渡来人がかかわることが多く、方形の積石塚も朝鮮半島北部にルーツをもつことから、五世紀の方墳の被葬者には一部に渡来人が含まれていた可能性が濃厚です。

＊**出雲神話**
『古事記』に記された出雲を舞台にした神話でスサノオのオロチ退治や大国主の国づくり、高天原の神への国譲りなどが描かれる。出雲国は神の国として古代に特異な位置づけを有する。

＊**群集墳**
小型の古墳が一定のエリアに集中して築かれるもの。

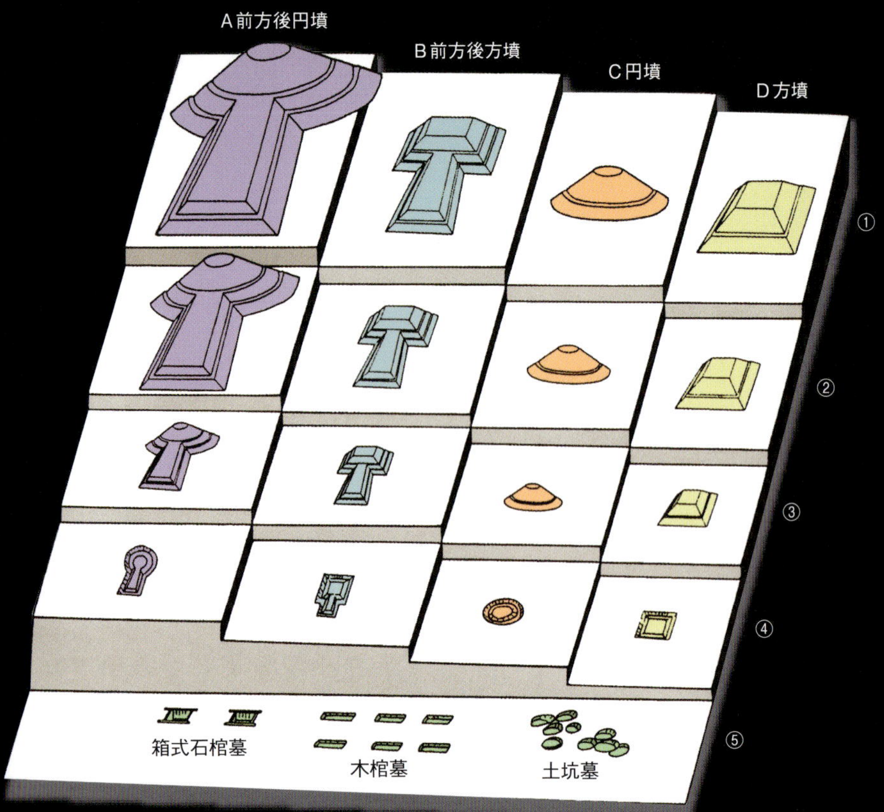

　　　　　A 前方後円墳　　B 前方後方墳　　C 円墳　　D 方墳

　　　　　　　　　　　　　　　　　　　　　　　　　　　　①
　　　　　　　　　　　　　　　　　　　　　　　　　　　　②
　　　　　　　　　　　　　　　　　　　　　　　　　　　　③
　　　　　　　　　　　　　　　　　　　　　　　　　　　　④
　　　　　　　　　　　　　　　　　　　　　　　　　　　　⑤

　　　　箱式石棺墓　　　　木棺墓　　　　土坑墓

**7** 古墳の階層図

**5 方墳**　奈良県五條猫塚古墳（27m）。5世紀前半。渡来系遺物や鍛冶関係の遺物が出土しており、渡来人とのかかわりが濃厚である。

**6 積石塚**　静岡県二本ケ谷積石塚1号墓。5世紀後半。この遺跡では、石だけを低く積み上げた墓が28基みつかった。近くには普通の古墳もあり、積石塚は渡来人の墓の可能性がある。

## 03 形いろいろ

3世紀から6世紀まで、前方後円墳を頂点にしてさまざまな形の古墳が造られた。墳形の異なりは地域内での階層差を明示するとともに、前方後円墳を介してヤマト王権との密接度を知る手がかりともなる。都出比呂志は、こうした墳形による秩序を「前方後円墳体制」とよんだ。

＊（　）内は墳丘全長を示す。

**1 前方後円墳** 奈良県島の山古墳（200m）。4世紀後半。平野に築かれ、堂々たる周濠を巡らしている。

**2 前方後方墳** 富山県柳田布尾山古墳（107m）。4世紀後半。北陸最大の前方後方墳。

**3 帆立貝形古墳** 奈良県乙女山古墳（130m）。5世紀前半。円墳に小さな張り出しを付けたもので、前方後円墳の築造を王権に承認されなかった首長が埋葬されたと推定される。

**4 円墳** 埼玉県丸墓山古墳（100m）。6世紀前半に造られた日本最大の円墳。

# 04 外形と埋葬施設のモデルチェンジ

## 外形の変化

前方後円墳は三五〇年間造りつづけられるなかで、次々に型式を変化させました。次に造られる墓は前のものよりもさらに立派にと、最新の設計を取り入れて進化していったのです。その形態は、おおむね次のように変遷しました。

前期（三・四世紀）の前方後円墳は、前方部の幅が狭く細長い平面形で、その高さも後円部よりずっと低いものでした。しかし、中期（五世紀）になると前方部の幅は後円部の直径と同じくらいになり、高さも拮抗します。墳丘は三段に整えられました。後期（六世紀）になると前方部はさらに幅広く、高く発達し、後円部を凌駕するものもあらわれます。一貫して前方部が発達するのが基本法則です。

その立地をみると、前期古墳はおもに山上・丘陵上などに造られましたが、前期後半になると次第に平野部に進出。墳丘のまわりに**周濠**＊を備えるようになります。中期に入ると、墓域の整備拡張が進められ、広大な二重の周濠を巡らすものがあらわれます。同時に、墳丘の裾に「造出」という儀礼空間が創出され、古墳の外観が荘厳に整えられるのです。

## 埋葬施設の変遷

前期には長大な竪穴式石室が墳丘頂部に設けられ、なかには高野槇を二

＊周濠　現在、古墳周囲に水をたたえる例がみられるが、本来は空堀であった。

16

つ割りにして内側をくり抜いた割竹形木棺が納められました。第二位ランクでは石室が省略され、木棺を粘土で厚く包み込んだ粘土槨が採用されました。なお、さらに下位の墓では木棺をそのまま土中に埋め込む「木棺直葬」の方法が採られました。

つづいて前期後半には、木棺の形を石に写した割竹形石棺が登場し、上位者の棺に石棺が採用されていきます。やがて中期になると、六枚の板石を加工して組み合わせた重厚な長持形石棺が考案され、**大王**およびとくに有力な首長の棺として採用されました。なお、第二ランクではくり抜き式の舟形石棺が用いられました。むろんすべての棺が石製になったのではなく、その下位には引きつづいて木棺を用いる階層も併存していたのです。

### 横穴式石室の登場

やがて、**百済**の影響をうけて横穴式石室が採用されます。墓室入口が墳丘側面に開き、追葬ができるため家族墓の性格が強まります。竪穴式から横穴式への転換は、九州で前期末～中期初頭、西日本・東海・北陸では中期後半、東日本の**伊那谷**や**上毛野**では後期初頭にみられますが、他の東日本では後期後半と遅れて採用されます。後半になるにつれ墓室の規模および使用石材が大型化し、奥壁や天井石にはひとつで数十トンの石を操るようになります。終末期（七世紀）には切石を採用した精美な造りの石室も登場します。

後期からは、追葬ができるため小型化した石棺式石室や横口式石槨が流行し、布を漆で固めた夾紵棺や、飾釘を打った木棺を納めるようになります。ただし、こうした例は一握りの上流層のみであり、群集墳では最後まで自然石を積み上げた横穴式石室を造りつづけたのです。

*大王 諸豪族におし立てられ、ヤマト政権を代表した王のなかの王。後の天皇。

*百済 朝鮮半島南西部に興った国で四世紀から七世紀まで存続した。日本と友好関係を結び、仏教をはじめ多くの先進文化を伝えた。

*伊那谷 長野県南部の飯田市一帯。

*上毛野 現在の群馬県地域の旧称。

❸ **竪穴式石室** 奈良県黒塚古墳。3世紀後半。竪穴式石室のなかに木棺が残り、鏡をはじめとする副葬品が出土。

❹ **粘土郭** 奈良県島の山古墳。4世紀後半。長い木棺を包んでいた粘土のみが残る。

❻ **横穴式石室と家形石棺** 奈良県藤ノ木古墳（円墳、50m）。6世紀後半。自然石を積み上げた横穴式石室のなかに、家形石棺を収める。5世紀末には長持形石棺が廃れ、家形石棺が上位の石棺となった。

❼ **切石積みの横穴式石室** 奈良県岩屋山古墳（方墳、40m）。7世紀前半。飛鳥時代になると、上位の古墳の石室は切石積みとなる。硬い石の加工技術は渡来人がもたらした。ただし、下位の群集墳では自然石積みの石室が最後まで主流だった。

## 04 発達する墳形と埋葬施設

前方後円墳は、造られた350年間のうちにモデルチェンジをくり返す。外形の変化では、前方部が長くなって、幅と高さを増し、濠を巡らすようになる。埋葬施設は、頂上に穴を掘って棺を納める「竪穴式」から、墳丘側面に口を開く「横穴式」へと変遷する。棺も長大な木棺から石棺へと流行は移り変わった。

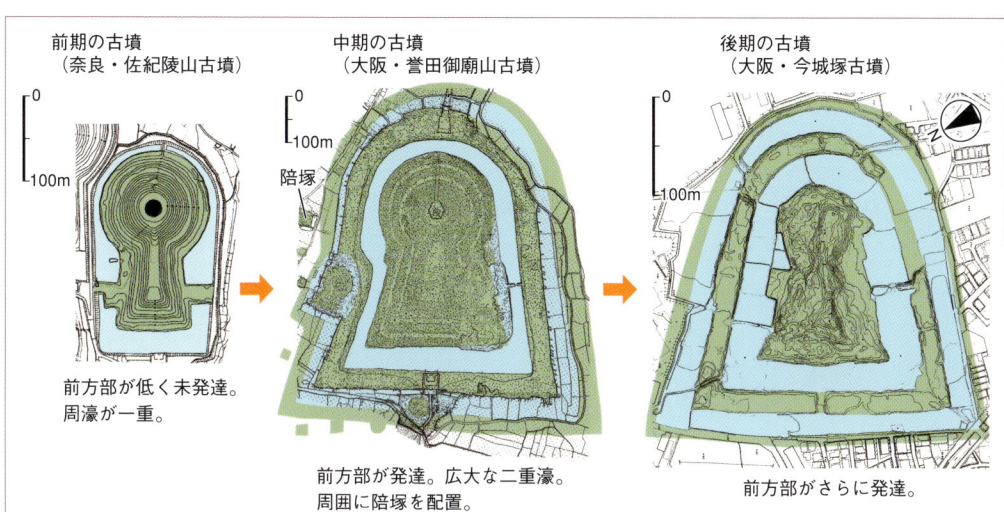

前期の古墳（奈良・佐紀陵山古墳）
前方部が低く未発達。周濠が一重。

中期の古墳（大阪・誉田御廟山古墳）
前方部が発達。広大な二重濠。周囲に陪塚を配置。

後期の古墳（大阪・今城塚古墳）
前方部がさらに発達。

❶ 前方後円墳の墳形と周濠の変遷

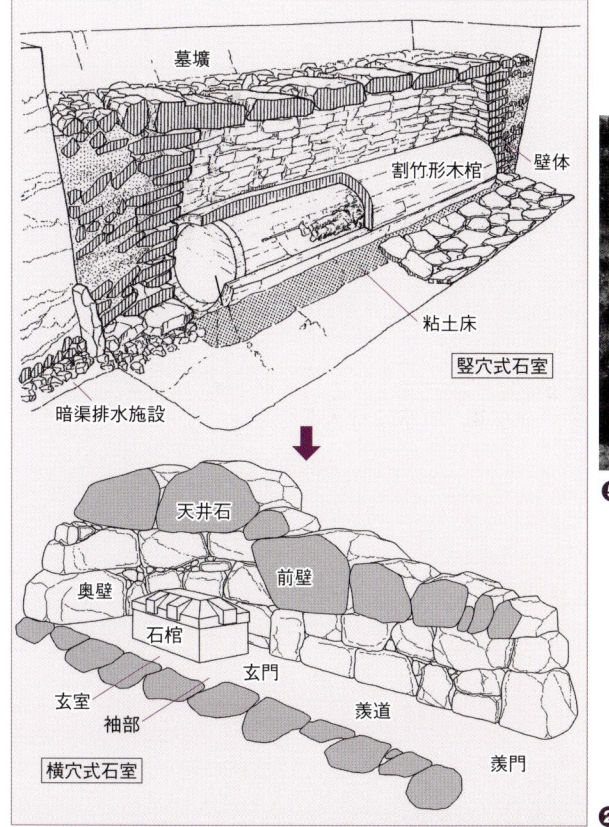

❷ 埋葬施設──竪穴から横穴へ

❺ 長持形石棺　大阪府津堂城山古墳（208m）。4世紀末。このころから有力古墳では竪穴式石室に石棺を収めるようになる。大王や最有力豪族は板石を組み合わせた長持形石棺、次の階層はくり抜き式の舟形石棺を採用した。

# 05 時代をうつす副葬品

盗掘されていない古墳の埋葬施設からは、さまざまな遺物が出土します。死者に添えられたこれらの品々を副葬品とよびます。棺のなかに納められた品、棺の外の墓室のなかに置かれた物、室外（槨外）に置かれた遺物では、それぞれ性格が異なりますが、総じて被葬者が所持した宝器や、その遺体を守る呪具が中心となります。目を奪われる宝飾具も多く、残りも良いことから、古墳副葬品は古墳時代研究の主体を占めている状況にあります。

副葬品の品目は、次のように時期によって異なります。

**前期** 青銅鏡、腕飾りなどの石製品、玉類、武器（銅鏃・鉄鏃）などが主体であり、この品目から首長が司祭者の側面を強くもっていたことが指摘されます。副葬品のなかでも貴重なのは鏡で、残された人骨からは女性首長も多かったことが知られます。前半期には**三角縁神獣鏡**\*が重視され、その型式や同型品の動きからヤマト王権と首長間の関係が議論されます。後半期には中国鏡の入手が滞り、国産鏡が副葬されます。石製の腕飾りはあくまで**儀器**\*で、石材に恵まれた北陸地方でつくられ、ヤマト王権を介して配布されました。

\* 鏃
矢じりのこと。

\* 三角縁神獣鏡
卑弥呼が魏から下賜された鏡とするのが定説だが、国産鏡とする意見も強い。中央から地方に分配されたが、同じ鋳型でつくられた鏡の識別が可能なため、分配をめぐる政治関係を考察する研究もさかんである。

\* 儀器
実用ではなく、儀礼用の道具。

20

**中期** 鉄の甲冑や刀剣が充実し、鉄鉾や鉄鏃が量を増します。甲冑は鉄板を綴じた短甲と二種類の冑*がみられます。ヤマト地域*の古墳では武器・武具を大量に埋納しており、首長の性格が武人に移行し、多量の武器を装備していたことが明らかです。武装の強化は、当時の倭国が朝鮮半島に進出していたことに関係します。中期後半以降は、冠・帯金具・履など外来の装身具、さらに馬具が加わり、とくに金銅装*の華麗な製品が珍重されました。

**後期** 中期の品目を引き継ぎますが、国産品が多くなり、装身具や馬具の大型化・多様化が進みます。また、玉類の種類が格段に増加します。甲冑は、短甲から挂甲*（小札甲）に推移しますが、中期のような大量の埋納はなくなります。新たに装飾付大刀*が副葬品に加わり、後期後半には倭製の装飾付大刀がつくられ、ヤマトから配布されます。これらは実用品ではなく、あくまで儀礼用の見せる大刀です。また、横穴式石室の導入によって、死者に食物を献ずる土器も墓室に入れられるようになりました。最後には大陸系の銅製容器が加わります。

副葬品の品目の変化は、各地の首長の性格が、司祭→武人→官僚と移り変わることをあらわすとともに、渡来文物の珍重から国産化といった工芸技術の推移を知ることができます。こうした貴重品は、例外はあるにしても基本的にヤマト王権が中国や朝鮮半島から移入し、あるいは一元的に製作して、各地の豪族に配布されたと考えられており、副葬品にはヤマトからの威信財*の傾向がダイレクトに反映されています。このため、中央が威信財の流通・配布を支配することで成り立っていた古墳時代の社会システムを、副葬品のあり方から考えることが可能となるのです。

\*冑
眉庇付冑と衝角付冑がある。前者は五世紀で終焉。

\*ヤマト地域
現在の奈良県・大阪府地域。

\*金銅装
銅板を金メッキしたもの。水銀に金を溶かし、銅板に塗布した後に加熱し、水銀を飛ばして金を定着させる。

\*挂甲
小さな鉄板（小札）を革や紐で綴った大陸系の甲。

\*装飾付大刀
柄の頭に多彩な装飾をおこない、鞘にも金銅装や銀装をおごった刀。

\*威信財
外部から入手された財で、首長の威信を高めるのに用いられるもの。

後期

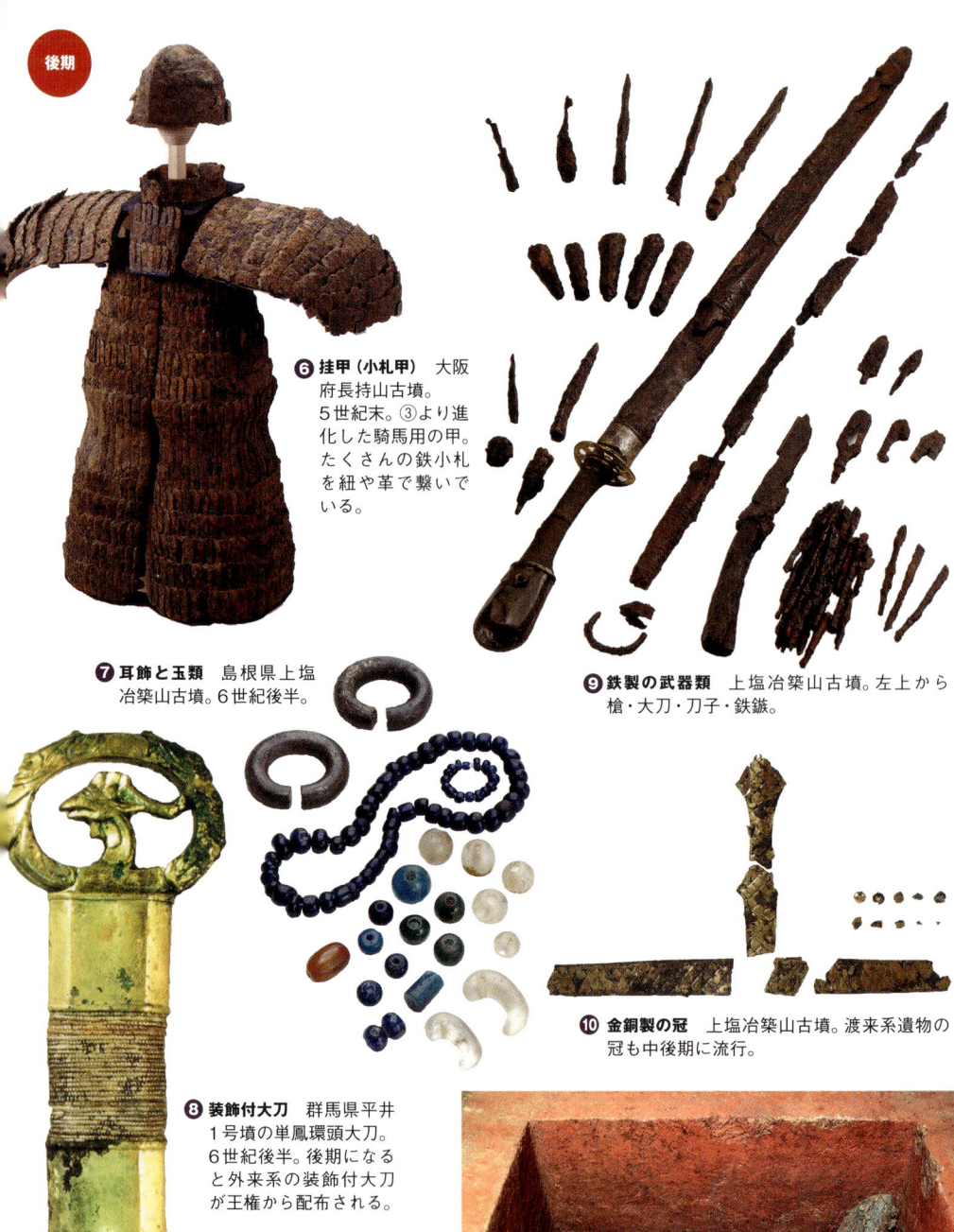

❻ **挂甲（小札甲）** 大阪府長持山古墳。5世紀末。③より進化した騎馬用の甲。たくさんの鉄小札を紐や革で繋いでいる。

❼ **耳飾と玉類** 島根県上塩冶築山古墳。6世紀後半。

❾ **鉄製の武器類** 上塩冶築山古墳。左上から槍・大刀・刀子・鉄鏃。

❿ **金銅製の冠** 上塩冶築山古墳。渡来系遺物の冠も中後期に流行。

❽ **装飾付大刀** 群馬県平井1号墳の単鳳環頭大刀。6世紀後半。後期になると外来系の装飾付大刀が王権から配布される。

⓫ **後期古墳の調査** 奈良県藤ノ木古墳。未開封の家形石棺が開かれ、金銅製の履や冠、大刀など華麗な遺物が出土。

## 05 王の道具ぞろえ

古墳時代は死者への副葬品が豊富であり、そこから多様な社会実態が明らかになる。弥生時代以前は墓に副葬品を入れる風習が乏しく、奈良時代以降は仏教の影響で薄葬が主流になる。その狭間の古墳時代は考古学的な物質が最も豊かな時代といえる。しかし、古墳は墓盗人に狙われ、未盗掘墳はきわめて貴重な存在だ。

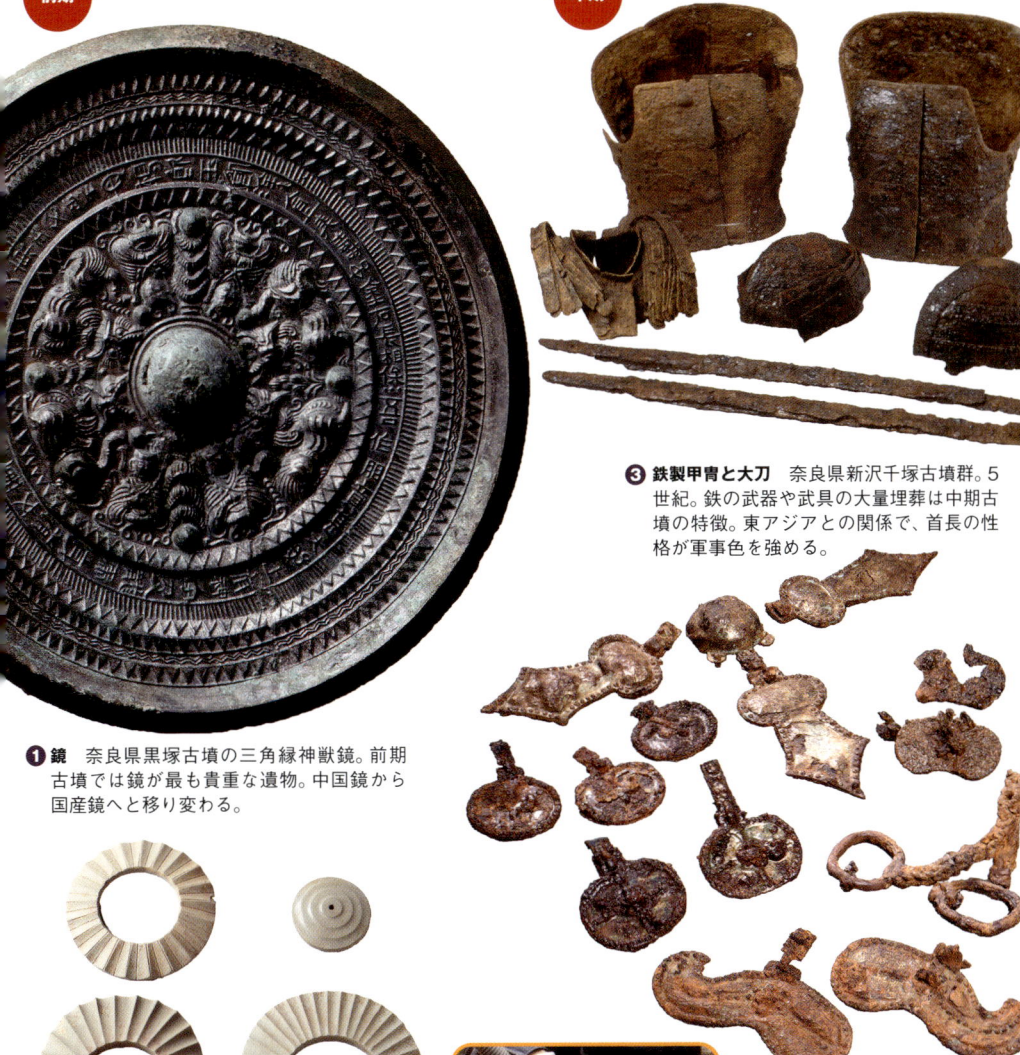

❶ 鏡　奈良県黒塚古墳の三角縁神獣鏡。前期古墳では鏡が最も貴重な遺物。中国鏡から国産鏡へと移り変わる。

❷ 石製品　奈良県新沢500号墳。4世紀には碧玉で製作した腕飾りや玉杖などが流行する。写真右上が紡錘車（糸を紡ぐ道具）で、ほかは腕飾り。

❸ 鉄製甲冑と大刀　奈良県新沢千塚古墳群。5世紀。鉄の武器や武具の大量埋葬は中期古墳の特徴。東アジアとの関係で、首長の性格が軍事色を強める。

❹ 金銅装の馬具のセット　新沢千塚古墳群。手前が頭部、後方が腰部につけるパーツで2組分。金メッキされた馬具は、首長らの憧れであり、中期から後期まで流行した。写真は後期（6世紀）のもの。

❺ 遺物の検出作業　黒塚古墳。

# 06 巨大前方後円墳の移り変わり——1

考古学者は、墳丘長が約二〇〇メートル以上の前方後円墳を「巨大前方後円墳」とよびます。そこに葬られたのは、大王やヤマト地域の主要豪族、ならびに各地の大豪族たちでした。ここでは、文化的中心地であったヤマト地域において、巨大前方後円墳がどう推移したかを概観します。

## 奈良盆地南東部の古墳群

弥生時代の終わりごろ、前方後円形の大型墳丘墓が奈良盆地南東部（桜井市・天理市一帯）に出現しましたが、古墳時代前期前半の巨大前方後円墳もこの場所を踏襲して築造されます。神々が宿るという三輪山の麓、ヤマト王権誕生の聖地です。

箸墓古墳が最初に築かれ、その東方の丘陵に大和・萱生・柳本古墳群＊が形成されていきます。西殿塚古墳（二三五メートル）、行燈山古墳（二四二メートル）、渋谷向山古墳（三〇〇メートル）の三基の巨大古墳を中心に、一〇〇メートル級の前方後円墳・前方後方墳が累々と築かれます。

南方の鳥見山北西の丘陵部にも桜井茶臼山古墳（二〇〇メートル）とメスリ山古墳（二二四メートル）が造られますが、東丘陵部の古墳とは別の系列と考えられています。また、前期後半には平野部に進出して島の山古墳（二〇〇メートル）が築かれました。

＊奈良盆地南東部には纏向・大和・萱生・柳本などの古墳群が存在し、これを総称して「オオヤマト古墳群」とよぶこともある。

＊巨大古墳の多くは、宮内庁により天皇陵や陵墓参考地に治定されている。たとえば、渋谷向山古墳は「景行天皇陵」に治定されているが、考古学的には渋谷向山古墳あるいは景行陵古墳とよぶ。本書もこれに準ずる。

24

以上の古墳群においては、長大な竪穴式石室の整備や円筒埴輪の創出がおこなわれました。三角縁神獣鏡が多量に保有されるのも大きな特徴です。

## 佐紀古墳群

前期後半になると、奈良盆地北部（奈良市）の佐紀の地に古墳群が移っていきます。巨大前方後円墳は八基あり、古墳群のなかでも丘陵上の西群（前期後半）から、平野部の東群（中期前半）へと推移していきました。

西群には佐紀陵山古墳（さきみささぎやま）（二〇七メートル）・佐紀石塚山古墳（二一八メートル）、五社神古墳（ごさし）（二六七メートル）が、東群にはコナベ古墳（二〇四メートル）、ウワナベ古墳（二五五メートル）、市庭古墳（いちにわ）（二五三メートル）、ヒシアゲ古墳（二一九メートル）があります。ほかに南に二キロほど離れて宝来山古墳（ほうらいさん）（二二七メートル）が造られています。新しい東群の古墳は、後に述べる古市・百舌鳥古墳群（ふるいち・もず）と時期が並行しています。

この古墳群では、家形や盾形（たてがた）・蓋形（きぬがさ）などの形象埴輪や、滑石（かっせき）で器物の形を写した石製模造品が生み出されました。石棺の採用も、この古墳群からと考えられています。

## 馬見・葛城の古墳群

奈良盆地南西部の馬見丘陵（うまみ）から葛城地域（かつらぎ）（河合町・御所市ほか）にかけては、前期後半から中期前半の巨大前方後円墳がやや距離を置きながら造られています。

北からみていくと、川合大塚山古墳（かわい）（一九七メートル）、築山古墳（つきやま）（二一〇メートル）の順に分布し、南端部には巣山古墳（すやま）（二二〇メートル）、新木山古墳（にきやま）（二〇〇メートル）、築山古墳（二一〇メートル）が築かれています。ほかに一〇〇メートル台の前方後円墳・前方後方墳が複数みられます。後に**葛城氏**＊とよばれる在地の大勢力が築いたとも考えられています。

＊葛城氏
大王家と婚姻で結ばれ、東アジア外交でも活動するなど権勢をふるった大豪族。五世紀に雄略大王によって滅ぼされた。

❹ **佐紀古墳群西群** 佐紀古墳群は東西に分かれ、西群（前期後半）から東群（中期前半）へと推移する。写真は西群で、手前が佐紀石塚山古墳、奥が佐紀陵山古墳。

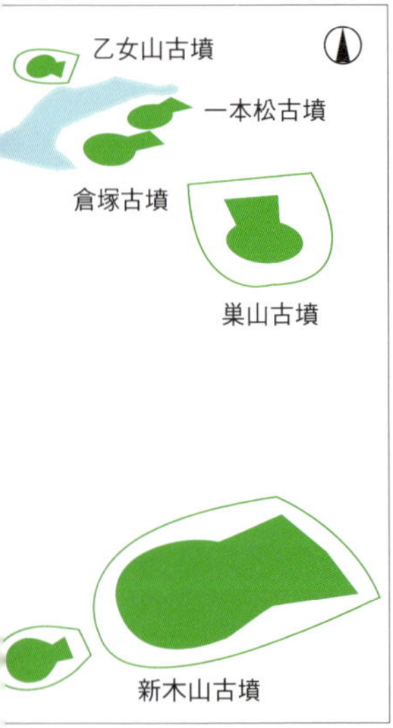

❺ **馬見古墳群** 奈良盆地南西部の馬見丘陵一帯に前期後半から中期前半までの前方後円墳が集中。手前から新木山古墳、中央右に巣山古墳、奥に倉塚古墳、一本松古墳、乙女山古墳など。

## 06 巨大前方後円墳の変遷1

巨大前方後円墳の大半はヤマト王権の地、奈良・大阪に存在し、時期によってその場所が移動する。前期前半には奈良盆地南東部のオオヤマト古墳群（柳本・萱生・大和・纒向古墳群）に集中するが、前期後半には盆地北部の佐紀古墳群へと移動した。このころから盆地南西部の馬見・葛城地域にも有力な古墳が出現する。

❶ 巨大古墳の位置

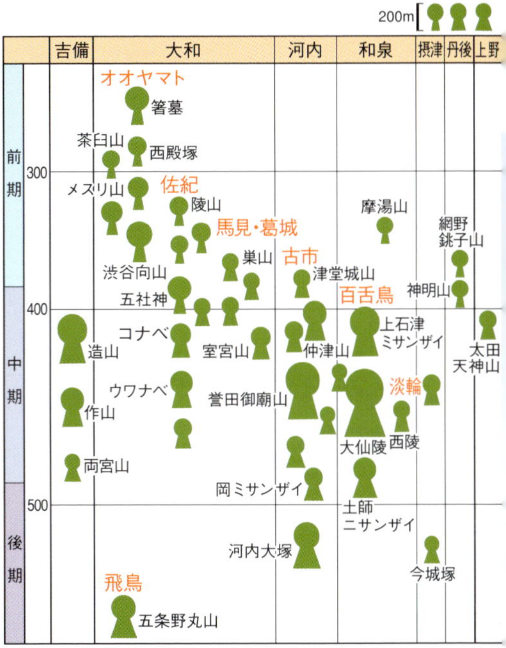

❷ 日本における墳丘長約200m超の巨大前方後円墳

❸ **オオヤマト古墳群** 一帯には多数の初期前方後円墳が集中するが、写真は支群のひとつ萱生古墳群の航空写真。中央下に西殿塚古墳、その下に東殿塚古墳（175m）があり、左上には中山大塚古墳（120m）がみえる。右上の西山塚古墳のみ後期古墳。

# 07 巨大前方後円墳の移り変わり—2

中期になると、大阪平野に古市古墳群（羽曳野市ほか）と百舌鳥古墳群（堺市）が出現しました。前方後円墳は、この時期に最も規模が大きくなります。二つの勢力が並存して、交互に大王を出した可能性が指摘されています。両古墳群の時期は並行しており、一〇〇メートル台の大型前方後円墳も組み合って築かれます。また巨大前方後円墳のほかに一〇〇メートル台の古墳が衛星のように造られるのも特徴です。

## 古市古墳群

奈良盆地を源とする大和川が大阪平野に流れ出た場所に選地されます。群内には巨大前方後円墳が連綿と築かれます。一〇〇メートル台の古墳も九基あり、なかでも軽里大塚古墳と巨大前方後円墳の周囲に、陪塚という小古墳が衛星のように造られるのも特徴です。

城山古墳（二〇八メートル）からはじまり、仲津山古墳（二七〇メートル）、墓山古墳（二二五メートル）、誉田御廟山古墳*（四二五メートル）、市野山古墳（二三〇メートル）、岡ミサンザイ古墳（二四二メートル）と巨大前方後円墳が連綿と築かれます。一〇〇メートル台の古墳も九基あり、なかでも軽里大塚古墳は一九〇メートルもある前方後円墳です。

## 百舌鳥古墳群

大阪湾岸に面した台地上に存在し、巨大前方後円墳は、上石津ミサンザイ古墳（三六〇メートル）、大仙陵古墳*（四八六メートル）、土師ニサンザイ古墳（二九〇メートル）の順で築かれます。ほかに四基の大型前方後円墳があり、なかでも百舌鳥御廟山古墳は一八六メートルの規模をよぶれる。

*誉田御廟山古墳
国内第二位の規模の前方後円墳で応神陵古墳ともよばれる。

*大仙陵古墳
日本最大の前方後円墳で、大山古墳、仁徳陵古墳ともよばれる。

28

誇ります。古墳群の背後には、国内最大の須恵器生産地（陶邑窯跡群）が存在します。この二つの古墳群では、長持形石棺の普及や人物埴輪の創出、鉄製甲冑・武器・農工具など鉄製器物を大量に副葬することが流行しました。また渡来系遺物の出土も目立ちます。窯での埴輪生産も開始されました。

巨大前方後円墳の造営地が、奈良（大和）盆地から大阪（河内）平野に移動する現象に関しては、河内地域の勢力が成長し、政権を大和の勢力から奪取したとする「河内政権論」が文献史学・考古学双方から主張されていますが、一方、大和の勢力が河内平野の開発を進め、王宮は大和に置きながらも墓地だけを河内に築いたとする考え方も存在します。古市・百舌鳥古墳群の成立した理由は、大きな古代史上の論点となっています。

## 後期の古墳群

後期にいたると、河内大塚山古墳（三三五メートル）を最後に古市・百舌鳥古墳群は終焉し、全国の古墳の規模は一様に小型化します。巨大古墳造りにかける情熱がいっぺんに冷めたかのような状況で、前方後円墳のもつ政治的な意味の変質を示唆しています。

後期前半には淀川北岸の三島野に**今城塚古墳**＊（一九〇メートル）が造られ、埋葬施設に横穴式石室と家形石棺が採用されます。後期後半になると**大王墓**＊の所在地は奈良盆地南部に戻り、五条野丸山古墳（三一八メートル）をもって巨大前方後円墳は終わりを告げます。

巨大前方後円墳の築造地とその推移は、大王や有力豪族の系譜、その盛衰、政治的・経済的基盤の移動など、多くのことを考えさせます。また、新たな文物が移動のたびに生み出されており、古墳時代の考古学研究において、眼が離せない重要な位置を占めています。

＊**今城塚古墳**
六世紀前半では最大の前方後円墳で、継体大王の陵とも推定されている。

＊**大王墓**
各段階の最大規模の前方後円墳を指す用語。最大規模の古墳には大王が葬られたとの仮定に立っている。

❸ **百舌鳥古墳群** 中期には、大阪平野に古市古墳群と百舌鳥古墳群が並立した。写真は百舌鳥古墳群で、手前左に上石津ミサンザイ古墳、奥に大仙陵古墳があり、右方にも大型前方後円墳が複数みえる。

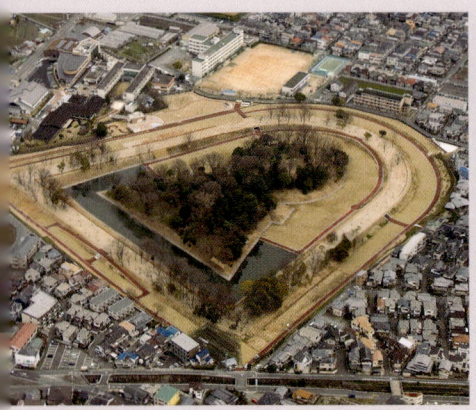

❹ **今城塚古墳** 淀川北岸に移った後期前半で最大級の前方後円墳。

❺ **五条野丸山古墳** 後期後半の巨大前方後円墳で奈良盆地の地に回帰して造られた。

## 07 巨大前方後円墳の変遷2

巨大前方後円墳は中期になるとその大半が大阪平野に造られるが、一部奈良盆地の佐紀古墳群や葛城地域でも継続する。それらは後期には低調となり、最大古墳の造営地は淀川北岸に移った後、再び奈良盆地に戻り、南東部の飛鳥地域に造営された後に終焉する。

❶ 佐紀古墳群東群　中期前半の古墳で、手前からヒシャゲ古墳、コナベ古墳、ウワナベ古墳。

❷ 誉田御廟山古墳　古市古墳群最大の前方後円墳。穴窯で焼かれた円筒埴輪をはじめて採用した画期的な大王墓。後方にいくつもの古墳がみえる。

# 08 埴輪とは何か

考古学的な遺物のなかで、老若男女に最も人気があるのは埴輪のようです。埴輪といえば、人や動物、家などをかたどった形象埴輪がすぐにイメージされます。しかし、これらは埴輪のなかでも後発組で、最初につくられたのは円筒埴輪でした。

**円筒埴輪** 円筒埴輪は文字どおり土管のような埴輪で、墳丘や**周堤帯**などを巡って列状に並べられました。古墳という聖域を邪悪なものから守るバリケードです。もともとは弥生時代後期の王墓に供えられた**特殊器台**\*がそのルーツですが、古墳時代前期初頭になると、特殊器台が筒形に省略され、王の遺体が埋められた墳頂部を囲んで配列されるようになります。これが円筒埴輪で、その後もずっと継続し、六世紀末から七世紀初めまで古墳の表面を飾るものとして作りつづけられました。

円筒埴輪は国内に広く分布し、長い期間のなかで同調した変化をたどっていきます。このため考古学者は、これを年代の基準として用います。古墳を丹念に歩いては小さな埴輪片を拾い上げ、「この古墳は五世紀後半だ」などと鑑定するのです。

ひとつの古墳に並べられた円筒埴輪の数は半端ではありません。たとえば群馬県高崎市保(ほ)

\* **周堤帯**
濠の外に造られた土手のこと。二重濠の場合、内濠と外濠の間の土手を内堤、外濠の外の土手を外堤とよぶ。

\* **特殊器台**
吉備地域の弥生後期に成立した、壺を載せるための高い台。マジカルな線刻模様が刻まれ、透し彫りがなされるなど装飾性が高い(図版02③参照)。

32

渡田八幡塚古墳は墳丘長九六メートルの前方後円墳で、二重の濠をめぐらしていますが、ここに配列された円筒埴輪の総数はなんと六〇〇〇本です。その背後に、埴輪づくりの工人たちが組織され、窯などの生産体制と供給体制が整えられていたことを知ることができます。

**形象埴輪** 物をかたどった形象埴輪は、前期中ごろに誕生します。王の魂の在処を守るため、古墳頂上に壺・家・盾・靫（矢を入れる道具）・蓋（王にさしかける笠）を模した埴輪を置いたのがはじまりです。前期末には、墳丘の裾に「造出」という儀礼の場所が設けられます。造出は方形で斜面に石を張り、こちらの世界と濠の向こうの死後世界のあいだに位置取りされています。造出には、家・盾・水鳥・蓋・壺・**導水祭祀施設**＊などの埴輪が並べられており、死んだ首長が宿る居館が表現されていたと考えられます。

つづいて、中期の五世紀中ごろまでに人物や主要な動物埴輪が登場し、二重の濠のあいだにある内堤の上などに置かれます。人物・動物は群像として製作・配置され、墓参の人びとにみえるように配置されたのです。群像はいくつもの場面を集め、生前の王の姿やその役割を、配下の人びとに偲ばせる役目を負っていました。神をまつる王と巫女と近臣、猪猟や鹿猟の様子、鵜飼や鷹狩、相撲の情景、武威の様子、王の財産であった馬など、複数の場面が集まって埴輪群像となっているのです。

王が生前に神をまつり社会を安定させたこと、財を集め、集団に富をもたらしたこと、そうした首長の生前の姿を人びとに焼き付けるために人物埴輪群像は生み出されました。そしてこの華やかな造形品も、前方後円墳の終わりとともに消滅していくのです。

＊**導水祭祀施設** 塀で囲まれたなかに、家を配置し、内部に水を導く樋と槽を内蔵した埴輪。実際に存在した導水祭祀施設を表現したもの。

❻ **人物埴輪群像** 群馬県保渡田八幡塚古墳。5世紀後半。発掘成果にもとづき復元された54体の人物・動物群像。群像は複数の場面に分かれ、王の儀式、王の狩猟、首長の偉業をあらわそうとした。

❼ **鶏形埴輪** 奈良県四条古墳。5世紀後半。

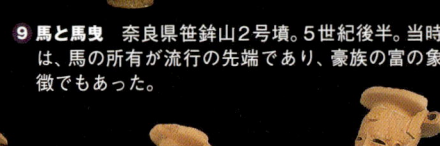

❽ **最古級の人物埴輪(巫女)** 大阪府大山古墳。5世紀中頃。

❾ **馬と馬曳** 奈良県笹鉾山2号墳。5世紀後半。当時は、馬の所有が流行の先端であり、豪族の富の象徴でもあった。

❿ **造形美をみせる人物埴輪** 群馬県綿貫観音山古墳。6世紀後半。合掌して対面する首長と巫女、一弦琴を弾く3人の女子などからなる神まつりの場面。(国〈文化庁〉保管)

## 08 埴輪——350年の推移

前方後円墳とともに出現し、古墳の表飾に欠かせない埴輪。最初は頂上に置かれ、つづいて墳丘裾に配備され、次には内堤にと、つねに新しい配列場所・配列様式とセットになって刷新された。埴輪は、風俗や建築様式などを知る重要な手がかりであるとともに、古代の儀礼や祭祀を考える糸口を与えてくれる。

**❶ 特殊器台** 奈良県葛本弁天山古墳出土。3世紀後半。弥生時代の土器から発展したもので、すべての埴輪のルーツ。マジカルな模様が描かれている。

**❷ 円筒埴輪配列（復元画）** 奈良県メスリ山古墳。4世紀初頭。墳頂の埋葬施設を円筒埴輪で幾重にも守っている。

**❸ 墳頂部の家・器財埴輪** 奈良県室宮山古墳。5世紀前半。埋葬施設を守った権威ある道具。

**❹ 墳丘裾の埴輪配列** 奈良県赤土山古墳。4世紀末。後円部の裾の造出に石敷きの舞台を設け、多数の家形埴輪などを並べていた。

**❺ 水をまつる施設（導水祭祀施設）** 大阪府狼塚古墳。5世紀前半。円墳の造出の裾から発見された。

## 09 前方後円墳の実像

こんもりした丘に木々が生い茂った姿、あるいは頂上に神社の社殿を乗せた姿、これが現在の古墳の一般的な外観です。多くの人びとは、郷土の風景に馴染んだこのようなあり方が、古墳の本来の姿だと捉えていることでしょう。

しかし、考古学者が古墳の発掘調査で表土を取り除くと、一部は崩れているものの、斜面全体を覆った貼り石（葺石(ふきいし)）があらわれるのです。石を貼った斜面は二〜三段に築かれており、そのあいだには平坦なテラスがあって、赤茶色の円筒埴輪が一列に並んでいます。

白く照り輝く石の山、一文字に貫く赤い埴輪の列、古墳の周囲に堂々と巡らされた広大な濠。このようなビジュアルこそが築造時の古墳の姿なのです。まさに日本のピラミッド。古墳文化の中核となったヤマト地域、西日本一帯、東日本の東海地域や上毛野地域などでは、こうして飾り立てられた姿が、古墳の基本的な仕様として共有されていました。

もちろん、その他の地域にも大きな前方後円墳がありますが、右のような過剰な飾り（葺石や埴輪）を完備した事例はそう多くありません。けれどもそうした地域にも、ときにフル装備した画期的な古墳が造られる場合があります。千葉県の内裏塚(だいりづか)古墳（墳丘長一四四メー

や山梨県の甲斐銚子塚古墳（一六九メートル）、宮崎県の女狭穂塚古墳（一七六メートル）など、それぞれの地で最大の前方後円墳がそうであり、このときヤマト王権ときわめて強い関係を結んだ首長が出現したことがわかります。

こうした派手で象徴的な古墳の姿は、ヤマト王権と連合する首長にとって、あるべき理想の墓の姿としてイメージされていたのでしょう。たとえ墳丘長が同じでも、膨大な葺石や数千本もの埴輪、広大な濠を装備するか否かで、そこに投入された経済力・動員力には相当な差が生じます。古墳から地域力を推し計る研究では、それらを考慮することが必要です。

ところで古墳の立地は、丘陵の最高所や台地の突端、扇状地の裾など、遠くからよくみえる地点が選ばれます。石を貼った外観はひときわ目立ったことでしょう。交通（陸上交通・水上交通）の要衝に造られることも多く、首長の配下の人びとや他の集団にアピールする意図が読みとれます。また、新規に開発する目的地に造られる場合もあります。築造地に人びとや物資を結集させ、開発推進のシンボルとしたのでしょう。古墳とは単なる墓にとどまらず、地域や共同体にとっても重要な記念物だったのです。その存在によって、人びとの心をひとつにまとめ、社会の秩序を維持するシステムが働いていたと考えてよいでしょう。

ヤマト地域を中心として同じ設計図を用いた前方後円墳が各地に広がっています。それを共有した首長の連合体がヤマト政権であり、そのネットワークを伝って情報がもたらされ、鉄器の原料となる鉄素材やさまざまな威信財が各地に流通しました。その範囲こそが、外国からみた「倭」の領域だったと考えられます。

37

❸ **日本海を望む** 京都府網野銚子山古墳（201m）。5世紀前半。日本海側で最大の前方後円墳。丹後半島の海に臨む丘陵端部に鎮座している。日本海の重要な港湾を掌握した大首長の墓であろう。

❹ **瀬戸内海を押さえる** 兵庫県五色塚古墳（190m）。4世紀後半。瀬戸内海に面した高台にある。九州から瀬戸内海を航行し、ヤマト王権の港（難波津）にいたる喉元を押さえており、海運を差配した首長が眠っていると考えられる。

❺ **盆地を見下ろす** 長野県森将軍塚古墳（100m）。4世紀後半。北に長野盆地を見下ろす山の中腹に造られた。千曲川の谷を往来する物流を監督し、広大な支配地を望む絶好の場所にある。

## 09 前方後円墳の実像とその立地

こんもりと木々で覆われた今日の古墳は、千数百年を経た姿。本来は石を貼り、多数の埴輪を立て並べた派手な外観で、交通の要衝や眺望地に造られた。在地の集団のシンボルであるとともに、周囲の勢力に対してもその威勢を強力にアピールする存在であった。

❶ **1500年を経過した古墳** 群馬県八幡二子塚古墳（66m）。6世紀前半。こんもりと木々で覆われた状況で、わたしたちが親しむいつもの古墳の姿。

❷ **築造当時の姿を復元** 群馬県保渡田八幡塚古墳。5世紀後半。発掘調査を経て、往時の姿に復元整備された。人物埴輪が並び、その向こうに石貼りの墳丘（96m）が聳える。青い山並みをバックに白く浮き上がった古墳は、荘厳である。

# 10 ヤマトの王と地方の王

06・07項で述べたように、巨大前方後円墳の大半はヤマト地域にあります。しかし地方にも突出した規模の古墳があり、なかでも吉備（岡山県）と上毛野（群馬県）の古墳は時代を通じて卓越し、倭の小中心を形成していました。吉備では造山（三六〇メートル）、作山（二八六メートル）、両宮山（二〇六メートル）、金蔵山（一六五メートル）など、上毛野では太田天神山（二一〇メートル）、浅間山（一七二メートル）、別所茶臼山（一六八メートル）、七輿山（一四六メートル）、神宮寺山（一五〇メートル）などが代表的な古墳です。多くは中期前半の築造で、最上級の長持形石棺をもつ古墳もあります。両地域とも農業や手工業による生産性が高く、交通の要衝であったことが知られています。吉備は弥生後期から瀬戸内海沿岸の文化的中核を担い、上毛野は北方世界（後の蝦夷\*）との領域境界にあたりヤマト政権の東方拠点としても重視されました。

このほか、大隅（鹿児島県）、日向（宮崎県）、筑紫（福岡県）、播磨（兵庫県）、丹後（京都府）、尾張（愛知県）、甲斐（山梨県）、総（千葉県）、常陸（茨城県）、陸奥（宮城県）などでは、ある時期に限って一五〇メートルを越えるような大前方後円墳が造られました。そのときどきに、重要な役割を担って王権と結んだ有力者が存在したのです。

\***蝦夷** 古代に東北北部・北海道にかけて居住した人びとを王権側からこうよんだ。ヤマト王権から異民族視された。

たとえば日向では中期前半に女狭穂塚古墳、男狭穂塚古墳（一七六㍍）の大型古墳が造られました。日向は、『古事記』*などに天皇の祖が天から降り立った場所とされており、この時期に王権と特別な関係を結んだと考えられます。筑紫は弥生時代から大陸文化の玄関口として栄えてきましたが、後期初頭に岩戸山古墳（一三五㍍）が成立しました。『日本書紀』*には、筑紫君磐井が新羅*と組んで王権（継体大王）の兵を阻んだことが記されており、岩戸山はこの磐井の墓と推定されています。この地域では、古墳に石人・石馬*を埴輪のように立てたり、石室内に装飾画を描くなど、独特の文化を発達させています。

播磨には前期後半の五色塚古墳があり、瀬戸内海の海運を掌握した王の墓とみられます。同様に、日本海の海運基地である丹後にも前期末から中期初頭の網野銚子山古墳（二〇一㍍）・神明山古墳（二〇〇㍍）があり、物資流通を差配した首長の存在が知られます。尾張には、後期初頭に断夫山古墳（一五〇㍍）が造られました。継体大王に妻をさし出し、王権を支えた尾張連氏の祖先の墓とみられています。甲斐には前期後半の甲斐銚子塚古墳があります。農業生産性が高くない内陸盆地に位置しますが、日本海側と太平洋側を結ぶ交通の結節点として、一時期、王権に重視されたと考えられます。

関東では、太平洋の海上交通の拠点である上総に内裏塚古墳があり、後の東海道ルート上の霞ヶ浦沿岸には中期前半の舟塚山古墳（一八六㍍）が存在します。舟塚山の主は、巨大な内海だった香取海*の水上交通を押さえていたと推定されます。東北では仙台平野に中期前半の雷神山古墳（一六八㍍）があり、仙台湾を望む段丘上の要所を占めています。

*古事記
七一二年に成立した日本最古の歴史書。三巻から成る。神話・伝説・歌謡によって天皇を中心とした国の統一を跡づける。

*日本書紀
日本で現存する最古の歴史書の一つ。七二〇年に成立。三〇巻と系図一巻から成り、編年体で中国風の史書を目指したもの。

*新羅
朝鮮半島南東部に四世紀に興った国で、六七六年に半島を統一。九三五年まで存続した。

*石人・石馬
石を削って人や馬・武器・武具などを表現し、古墳に並べたもの。

*香取海
千葉・茨城・栃木県境一帯に存在した広大な内海。現在は大幅に縮小して霞ヶ浦となっている。

| | | | | |
|---|---|---|---|---|
| ①陸奥の王者 | 宮城県雷神山古墳（168m）。5世紀前半。 | | ②常陸の王者 | 茨城県舟塚山古墳（186m）。5世紀前半。 |
| ③毛野の王者 | 群馬県太田天神山古墳（210m）。5世紀前半。 | | ④甲斐の王者 | 山梨県甲斐銚子塚古墳（169m）。4世紀後半。 |
| ⑤丹後の王者 | 京都府神明山古墳（200m）。4世紀後半。 | | ⑥尾張の王者 | 愛知県断夫山古墳（150m）。6世紀前半。 |
| ⑦吉備の王者 | 岡山県造山古墳（360m）。5世紀前半。 | | ⑧讃岐の王者 | 香川県富田茶臼山古墳（140m）。5世紀前半。 |
| ⑨筑紫の王者 | 福岡県岩戸山古墳（135m）。6世紀前半。 | | | |
| ⑩日向の王者 | 宮崎県男狭穂塚古墳（176m・帆立貝形）・女狭穂塚古墳（176m）。5世紀前半。 | | | |

＊基本的に約150m以上としたが、東海・四国・北部九州では地域最大のものとした。

巨大古墳の位置

## 10 東西の巨大古墳たち

ヤマト王権中枢にはおよばないが、各地にも200mを越える巨大前方後円墳が築かれた。経済基盤がしっかりした吉備や上毛野、筑紫などの伝統地域、ときどきに王権との関係を取り結んだ陸奥や日向などの地域。その広がりは、前方後円墳で結ばれたヤマト政権、倭国の枠組みをあらわしている。

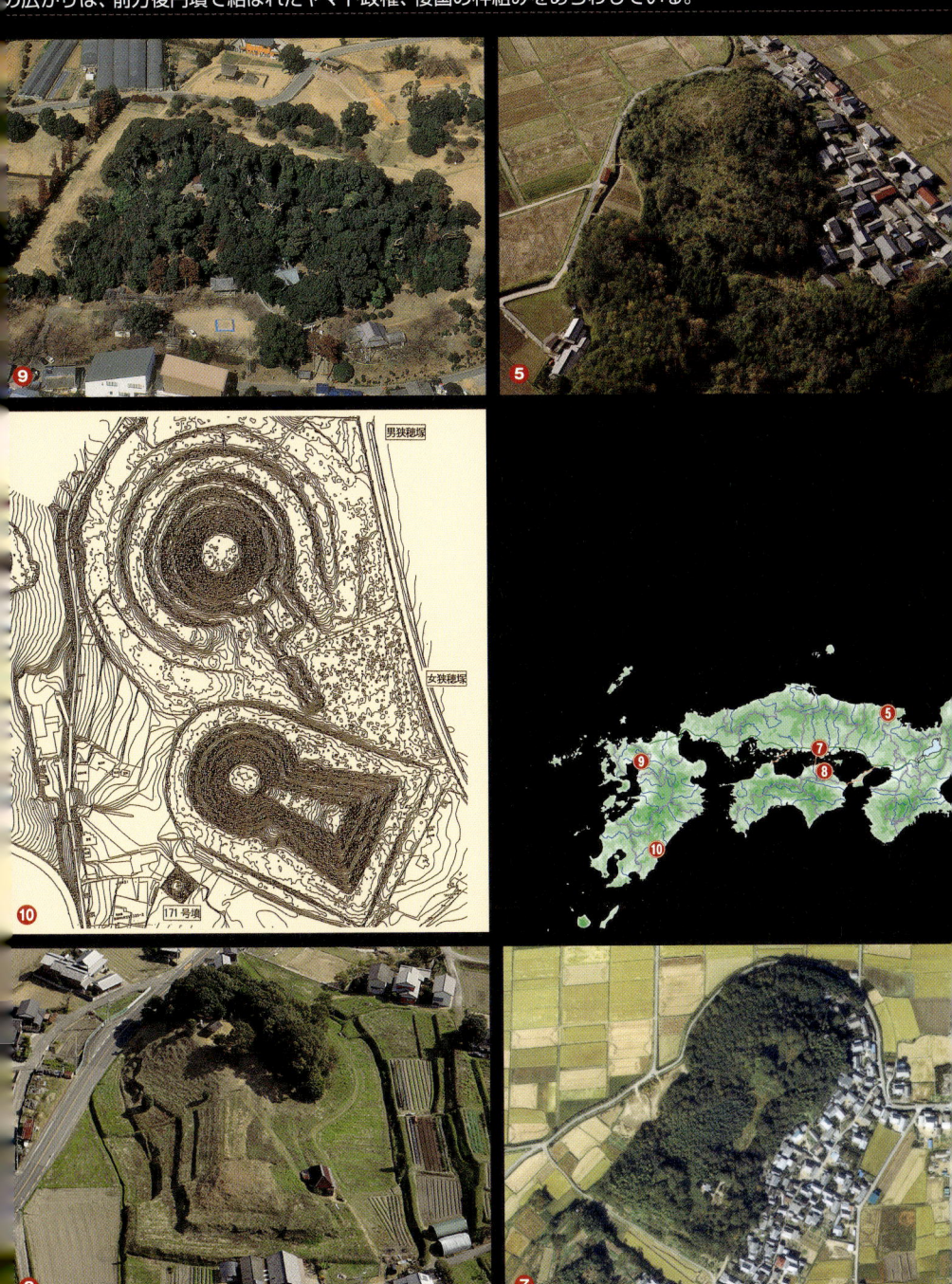

# 11 さかんな東アジアとの外交

## 古墳時代以前の外交
「楽浪海中倭人あり」。これは中国の史書『漢書』地理志に書かれた日本の地理情報です。当時の日本は「倭」とよばれ、中国の**前漢**＊が今の北朝鮮辺りに置いた楽浪郡（紀元前一〇八年設置）のはるか海上にあると認識されていたのです。しかし、倭は海中にあっても孤立した存在ではなく、海路で世界とつながっていました。縄文・弥生時代を通じて朝鮮半島南部と交流し、楽浪郡が設置されるや、これを窓口として中国系文物（青銅鏡など）を移入しました。やがて一世紀には、中国**後漢**＊に**朝貢**＊するなど、国どうしの交わりが生まれました。こうして倭人は国際秩序を知るようになるのです。

やがて前述した倭国大乱を経て、二世紀末には卑弥呼を女王とする小国の連合体（倭国）が成立しました。卑弥呼は、中国に鼎立した三国（魏・呉・蜀）のうち魏に朝貢し、皇帝から印綬や布、銅鏡一〇〇枚等を下されています。魏は、遼東半島の公孫氏（燕）を滅ぼして政権を安定させたばかりでしたが、卑弥呼はすかさず国交を結ぶ国際感覚を発揮しています。

## 朝鮮半島諸国とのつきあい
古墳時代のころには、朝鮮半島に高句麗・新羅・百済・伽耶の諸国が成立し、互いにせめぎあいます。最初に倭は**伽耶**＊と関係を深め、四世紀には洛東江

＊**前漢**
劉邦が建国した中国の国家。紀元前二〇二年～紀元八年。

＊**後漢**
前漢を滅ぼした新を倒して、光武帝が建国。二五年～二二〇年。

＊**朝貢**
中国王朝に貢物を送り、その傘下に属して諸侯に封じられる外交の形。

＊**伽耶**
朝鮮半島南部に存在した小国連合。金官伽耶・大伽耶・小伽耶・安羅伽耶などによって構成された。

44

下流の金官伽耶（きんかんかや）と、五世紀には洛東江中流の大伽耶（だいかや）と結んだことが出土遺物の傾向からわかっています。なお、五世紀後半〜六世紀はじめに限って、半島南西部の栄山江（えいざんこう）流域に倭系の前方後円墳が築かれ、埴輪の模倣品が並べられました。この時期、倭は右の地域（後に百済に編入）と政治的なかかわりを深め、さかんな人の交流があったと推定されます。

ところで半島北部の高句麗はつねに南下政策をとり、ときには新羅を従えて、百済を圧迫しました。このため百済は倭に軍事支援を求め、その見返りとして技術や文化・人材（渡来人）を倭に提供したのです。倭が軍事行動をした事実は、高句麗に立てられた広開土王碑（こうかいどおうひ）（四一四年・中国吉林省集安市）に刻まれています。四世紀後半以降、倭には渡来人が多くやってきて技術や知識をもたらすとともに、ヤマト政権の内部に参画していきます。

倭は、つねに親百済の外交政策を展開しますが、半島情勢は激化し、五六二年に大伽耶が滅亡して新羅に併呑されます。倭は、外交上は新羅を敵視していましたが、文物の交流はさかんであり、新羅系の遺物が日本の古墳から多く出土しています。

## 宋との外交

一方で、倭は五世紀には中国の**宋**＊（南朝）に朝貢し、その傘下で高い位を得て朝鮮半島諸国との関係を有利に進めようと画策します。代々五人の大王が使者を遣わし、倭王に封じられたことが『宋書』に記されており、最後の倭王武（ぶ）は、長文の上表文を宋の皇帝に送っています。その後関係は中断しますが、飛鳥時代になると、倭国は中国を統一した隋・唐に遣隋使・遣唐使を送り、中国の政治システムを吸収しようとします。ここから本格的な国家形成に向けた歩みがはじまっていくのです。

＊宋
中国南北朝時代の南朝の国家（四二〇〜四七九年）。北魏（北朝）と対峙した。

❽ 5世紀の東アジア

❿ **高句麗の王陵** 将軍塚（一辺32m）。中国吉林省集安市。5世紀初頭。高句麗王墓は5世紀前半まで方形の積石塚が主流。この古墳も積石塚だが表面は切石で仕上げている。

⓫ **百済の王陵** 陵山里古墳群。韓国忠清南道扶余郡。6・7世紀。簡素な円墳の内部には、横穴式石室が内蔵されている。

⓬ **新羅の王陵** 皇南大塚（長120m）。韓国慶州市。5世紀前半。2つの墓が合体した双円墳。内部には木槨（木の部屋）を築き、それを多量の石で覆い最後に土を被せている。

❾ **5世紀ごろの朝鮮半島** 高句麗の南下で百済の都は漢城→熊津→泗沘と変遷した。

⓭ **栄山江** 韓国南西部を流れる川。流域では前方後円墳や埴輪の模倣品が出土し、倭と緊密な関係があったことがわかる。

⓮ **韓国の前方後円墳** 韓国光州市月桂洞1号墳（45m）。韓国では栄山江流域に十数基の前方後円墳が知られる。

## 11 古墳時代の倭と東アジア

倭と朝鮮半島諸国はつねに密接に交流した。南下する高句麗と対立する半島南部の諸国、それらが政治的な思惑で、倭と結びついた。付き合いの深さは時期を追って、金官伽耶→大伽耶→百済と推移していく。同時に各国は中国に朝貢し、それを背景にして優位性を競い合った。国家形成への胎動のなかで、それぞれの国が多様な墓制や文化・文物を生み出した。

### ❶ 倭と東アジアの外交年表

凡例: 中国での出来事／朝鮮半島での出来事／倭を主体とする出来事

| 中国 | 朝鮮半島 | 年 | 出来事 | 古墳・遺物 |
|---|---|---|---|---|
| 魏・呉・蜀 | 馬韓・辰韓・弁韓 | 238 | 魏が遼東の公孫氏を滅ぼす | |
| | | 239 | 卑弥呼が魏に遣使 | 箸墓古墳 |
| 西晋 | | 266 | 壱与、西晋に遣使 | |
| | | 313 | 高句麗、楽浪郡を滅ぼす | |
| 五胡十六国／東晋 | | (372) | 百済、七支刀を倭に贈る | 石上神宮七支刀 |
| | | 400 | 高句麗が倭と戦う | |
| | | 413 | 倭王讃、東晋に遣使 | |
| | | 414 | 高句麗広開土王碑立つ | 誉田御廟山古墳 |
| 宋／北魏 | 高句麗・新羅・伽耶・百済 | 420 | 宋(南朝)が建国 | |
| | | 421 | 倭王讃が宋に遣使(宋書) | |
| | | 438 | 倭王珍が宋に遣使、倭隋ら13人も位を得る | |
| | | 451 | 倭王済が宋に遣使、臣下23人も位を得る | 大仙陵古墳 |
| | | 471 | | 埼玉稲荷山鉄剣銘文 |
| | | 475 | 高句麗が百済の漢城を陥落させる(熊津遷都) | |
| | | 478 | 倭王武が宋に上表する | |
| 斉 | | 479 | 宋が禅譲し斉が建国 | |
| 梁 | | 502 | 百済武寧王即位 | |
| | | 503 | 百済、人物画像鏡を倭に贈る | 隅田八幡神社人物画像鏡 |
| | | 512 | 倭が百済の伽耶西部支配を承認(日本書紀) | |
| | | 527 | 筑紫君磐井の乱 | |
| | | 538 | 百済、泗沘に遷都 | 今城塚古墳 |
| 東魏・西魏・北周・北斉／陳 | | 538 | この頃仏教が伝来する | |
| | | 562 | 新羅が大伽耶を滅ぼす | |
| | | 587 | 蘇我氏が物部氏を滅ぼす | 五条野丸山古墳 |
| | | 588 | 百済から寺工・瓦博士らが渡来 | |
| 隋 | | 589 | 隋が成立 | |
| | | 592 | 飛鳥寺着工 | 飛鳥寺 |
| | | 600 | 第1回遣隋使(日本書紀に記載なし) | |
| | | 607 | 第2回遣隋使(日本書紀に記載あり) | |
| 唐 | | 618 | 隋、高句麗戦に疲弊して滅亡す。唐が成立 | |
| | | 630 | 第1次遣唐使 | 植山古墳 |
| | | 660 | 唐・新羅連合軍が百済を滅ぼす | |
| | | 663 | 白村江海戦で倭が唐・新羅連合軍に大敗 | |
| | | 667 | 近江大津宮へ遷都 | |
| | | 668 | 唐・新羅連合軍が高句麗を滅ぼす | 牽牛子塚古墳 |
| | | 672 | 壬申の乱 | |
| | 統一新羅 | 676 | 新羅が唐軍を駆逐し半島を統一(統一新羅) | 野口王墓古墳 |

**3世紀の将来品**

❷ **画文帯神獣鏡** 奈良県黒塚古墳。国内有数の34面の鏡が出土したが、この鏡のみ特別扱いされ、突出した貴重品だったことがわかる。中国からもたらされた宝器。

**5世紀の将来品**

❸ **帯金具** 和歌山県大谷古墳。5世紀末。龍文をあしらったベルト飾り。鋳造品に銀メッキされている。(国〈文化庁〉保管)

❹ **金製垂飾付耳飾** 奈良県新沢109号墳。5世紀。大伽耶製の精緻な工芸品。

**6世紀の将来品**

❺ **環頭大刀の柄頭**(左) 大阪府海北塚古墳。6世紀後半。大刀の柄の飾り。鳳凰がデザインされている。百済製・国産双方の説があるが、半島で流行していた新しいデザインを導入したもの。

❻ **馬具(杏葉)**(中央) 群馬県綿貫観音山古墳。6世紀後半。鉄板に銅板を載せ金メッキしている。新羅系と考えられている。(国〈文化庁〉保管)

❼ **馬具(轡鏡板)**(右) 奈良県藤ノ木古墳。6世紀後半。忍冬唐草文(パルメット)がデザインされている。

# 12 渡来技術と手工業

日本最古の歴史書の一つ『日本書紀』には、古墳時代ごろに朝鮮半島から、王族や学者などの知識層や、「今来才伎（いまきのてひと）」とよばれる技術者群がやってきたことが記されています。これを契機として、新技術が堰を切ったように流れ込み、新たな手工業を発達させます。

**窯業**　それ以前の日本には、窯を用いて硬い土器を焼く技術はありませんでしたが、四世紀末から五世紀はじめになって大阪府南部の丘陵に窯業地帯（陶邑窯跡群（すえむらようせきぐん））が形成され、須恵器＊の生産が開始されます。操業初期のものは、半島南東部の伽耶地域（慶尚南道）、つづいて同南西部の栄山江流域（全羅南道）の陶質土器の技術的影響を受けており、陶工が何次にわたって招聘されたことが明らかです。その技術は直ちに広まって、倭の各地に窯業が根付いており、こうした先進技術の獲得は豪族たちの憧れであったことがうかがえます。

**鉄器生産**　鉄製品の生産も飛躍的に伸びています。砂鉄や鉄鉱石から鉄原料をつくる製鉄（大鍛冶（おおかじ））技術はまだ不明な点が多いですが、半島から輸入された鉄素材を製品に加工する小鍛冶遺構の検出が激増します。大阪府大県遺跡（おおがたいせき）や森遺跡では、鍛冶炉・鞴（ふいご）＊の羽口（はぐち）・鉄滓（てっさい）・砥石・工房跡などがみつかっており、大規模な鉄器生産所の存在が明らかになりました。工

＊須恵器
窯での焼成の最後に酸素を遮断（還元）して灰色に焼き上げた硬質の土器。

＊鞴
鍛冶炉のなかに入れた炭を燃やすための送風装置。羽口は、鞴と炉をつなぐ送風用の土管。

48

房や周辺のムラからは朝鮮半島の日常容器に酷似した韓式系土器が出土し、創業には渡来人が関与したと考えられます。なお、瀬戸内海沿岸地域を中心として、大鍛冶遺構（製鉄炉）がみつかりはじめ、後期後半には国内でも製鉄が開始されたことが確認できます。鉄器生産の燃料には、原木よりも火力が強い木炭が必要とされました。このため炭の生産も連動しておこなわれ、森林資源の利用が進んでいきます。

**金工芸** 金属関係の分野では、金工も著しく発達しました。銅板にタガネで微細な模様を線刻し、透彫りを施し、細かいパーツを取り付けて鍍金する工芸技術の隆盛です。豪族は、冠・耳飾り・帯金具・刀剣・履・馬具などをこうした技術で装飾し、金ぴかの装いに身を包んでいたのです。その美意識は、中世以後の「侘び寂び」の枯れた味わいとはかけ離れていますが、当時の人びとの心をとらえた韓風ファッションであり、彼の地から技術共々もたらされたものでした。

**紡織** 古墳時代人は、装身具とともに、おしゃれな衣装を身に纏っていました。布は残りにくいものの、奈良県藤ノ木古墳ではスパンコールをつけた布地が検出され、美しい織物が存在したことが明らかです。出土品には繊維を撚るための道具である紡錘車や、木製機織具の部材がみられており、すでに**地機**\*や**高機**\*が存在したようです。この時期には養蚕と新しい機織り技術が渡来人によりもたらされ、染色・縫製技術とともに隆盛したのでしょう。

なお、こうしたさまざまな新しい生産拠点は、王権の直轄地である奈良盆地や大阪平野に、計画的に配備されていったと考えられます。

\***地機**
人が足を延ばして織る原始機から進歩した、縦糸を上下させるための木枠をもった構造の織機。縦糸の張りを腰で繰りながら、おもに麻布を織った。

\***高機**
地機が進化したもので、縦糸を前後で張るための強固な枠組をもち、絹を織るのに用いた。

49

**金工芸**

**6 金銅装の馬具** 奈良県三里古墳。6世紀。鉄の地板のうえに銅板を載せ、鋲で留め、金メッキする。古墳時代の装身具や馬具等はこのように、ぎらぎらと派手であった。

**7 古墳時代の工芸品（復元）** 奈良県藤ノ木古墳。6世紀。出土品を詳細に分析したうえで製作された刀の復元品。柄や鞘の木質の上に金メッキや銀メッキした銅板を巻いて、鋲で留め、多数のガラス玉をはめ込んでいる。

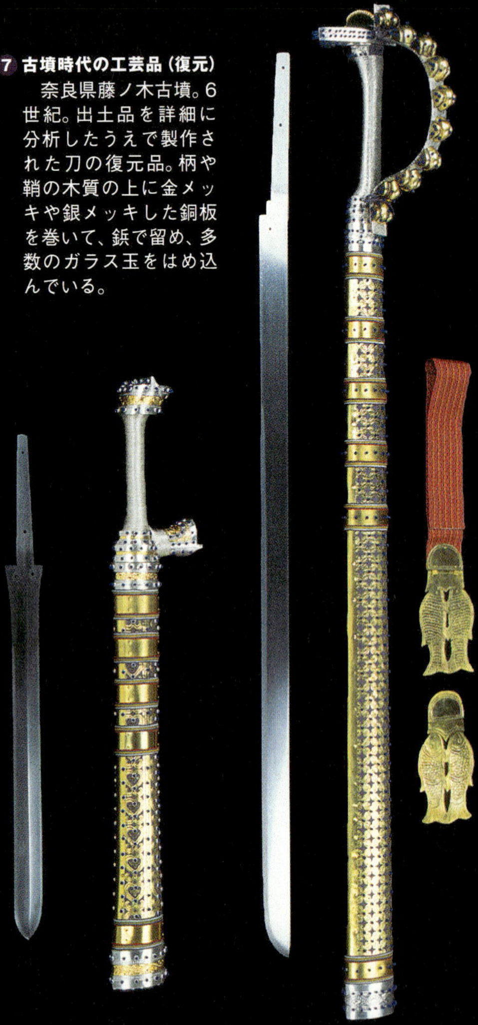

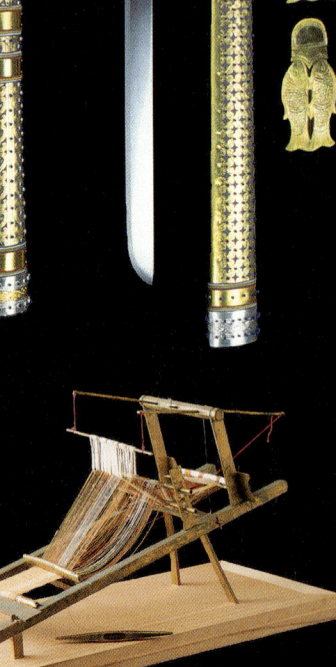

**紡織**

**8 出土した織物** 奈良県藤ノ木古墳。6世紀後半。遺体の掛け布で、石棺のなかに水漬けで残されていた。複数の絹織物を重ね合わせている。

**9 原始機の復元** 縦糸を張り、互いちがいに上げ下げしながら、あいだに横糸を通し、横打具で手前に打ち込んで布をつくる。こうした弥生時代からつづく原始機に加えて、古墳時代には右のような地機や高機が出現した。

**10 金銅製高機** 宗像大社。奈良平安時代。神に捧げられた機織り機のミニチュア品。構造から地機がモデルと考えられる。地機・高機は古墳時代に朝鮮半島からもたらされた。がっしりした木製のフレームをもった織り機で、今日につづいている。

## 12 今来のわざ

古墳時代、とくに5世紀は、技術史上の大きな画期である。なかでも鉄器生産・金工芸・窯業・紡織などの手工業は、外来の技を得て飛躍的に進歩した。このころ日本にやってきた渡来人は「今来才伎」とよばれ、かなりの人数におよんだ。それを束ねる長たちは、渡来系氏族として政治にも参画し、倭国の国際化に大きく貢献していく。

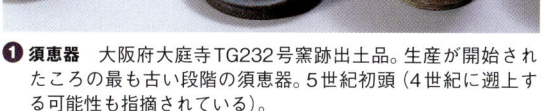

**須恵器生産**

❶ **須恵器** 大阪府大庭寺TG232号窯跡出土品。生産が開始されたころの最も古い段階の須恵器。5世紀初頭（4世紀に遡上する可能性も指摘されている）。

❷ **須恵器窯** 大阪府陶邑窯跡群（陶器山203－Ⅱ号窯跡）。斜面を掘り込み、上部に粘土で天井部を設ける。

**鉄生産**

❸ **鉄器生産の工房** 奈良県下茶屋カマ田遺跡。5世紀。奈良盆地南西部の南郷遺跡群（20項）でみつかった鉄器製作者の住まい。住居のなかから鍛冶炉の部品や鉄滓がみつかっている。

❹ **鍛冶具** 奈良県五條猫塚古墳。5世紀。鉄鉗・鉄床・鉄鎚のセット。

❺ **鉄器生産関係遺物** 奈良県下茶屋カマ田遺跡。手前は鉄を溶かす炉に風を送る鞴の送風管（羽口）。後方は鉄を溶かした後に残ったスラグ（鉄滓）。

# 13 古代にもあった韓流ブーム

渡来文化には、技術のほかに思想や制度など無形のものがありましたが、その表現手段である文字資料の存在から間接的に類推することはなかなか実証できません。代表例は、埼玉県埼玉稲荷山古墳や熊本県江田船山古墳出土の刀剣に刻まれた文字で、大王に奉仕した豪族の家系や職名が表示されています。また、中国の歴史書には、五世紀に**倭の五王**＊が宋と文書外交をおこなったことが記されていますが、こうした文字の運用方法を教えたのも渡来人にほかなりませんでした。渡来系氏族は以後王権において重用され、外交や国家システム形成の媒介者となります。

## 庶民生活と渡来文化

このころ登場した生活に密着する渡来文物に「竈(かまど)」があります。それまでの火処はずっと炉でしたが、五世紀には伝来したばかりの竈に首座を譲ります。焼物製の移動式竈と、住居の壁際に粘土でつくり付けられた固定式竈が出現し、瞬く間に列島中に普及したのです。この厨房具は効率がよく、使い勝手がよかったのでしょう。竈で用いられる蒸器(甑(こしき))も普及し、餅米をはじめとした蒸し料理が食卓をにぎわせるようになったことを教えます。また蒸し米を乾燥させた干飯(糒(ほしい))を保存携行食として多量に作ったとする

＊倭の五王
讃・珍・斉・興・武の五人の大王。

52

説もあります。厨房施設および調理法という庶民の生活レベルにまで、外来文化が浸透したことは、古墳時代の大きな特色です。最大の韓流ブームは、このときまで遡るのです。

## 馬の生産

渡来文化のなかでも注目されるもののひとつが馬の生産です。三世紀に書かれた『魏志倭人伝』には「倭に牛馬なし」とされており、馬具の出土開始の時期からみても、馬は古墳時代前期末から中期に日本にもたらされたと考えられます。倭は四世紀後半から朝鮮半島で軍事活動をおこないますが、そのときに馬の効用を知ったのでしょう。華麗な馬具を飾った駿馬は、王たちの憧れでもありました。

ところで馬は単体で存在したのではありません。馬の生産は、馬と、馬を飼育調教する技術者、生産・出荷管理システムとその管理者、広大な牧、馬の生育に必要な大量の塩の調達、馬具生産システム（木工・金工・鍛冶・皮革加工）を組み合わせた総合産業でした。牧とみられる遺跡からは渡来系遺物が出土し、生産開始期には渡来人の関与が明らかです。

馬は、豪族の権威の象徴として用いられるとともに、軍事用・農耕用・荷役用・情報伝達用に広く運用されました。馬の利用で、人力から畜力へとエネルギー利用の幅が大きく広がったのであり、さながら今日の自動車産業の開始に匹敵します。古代馬の生産地は、畿内では大阪平野が知られますが、広大な土地が必要なため東国の伊那谷や上毛野での生産にシフトし、後の東山道ルートで畿内にもたらされたと考えられます。

なお渡来人は、これまで西日本中心に居住したとみられてきましたが、近年では上毛野を中心とした東国でも、墓や土器、馬関連の遺物など渡来人の足跡が発見されています。

＊**東山道**　都から中部高地を通って北関東、東北にいたる古代道路。

53

**暮らし**

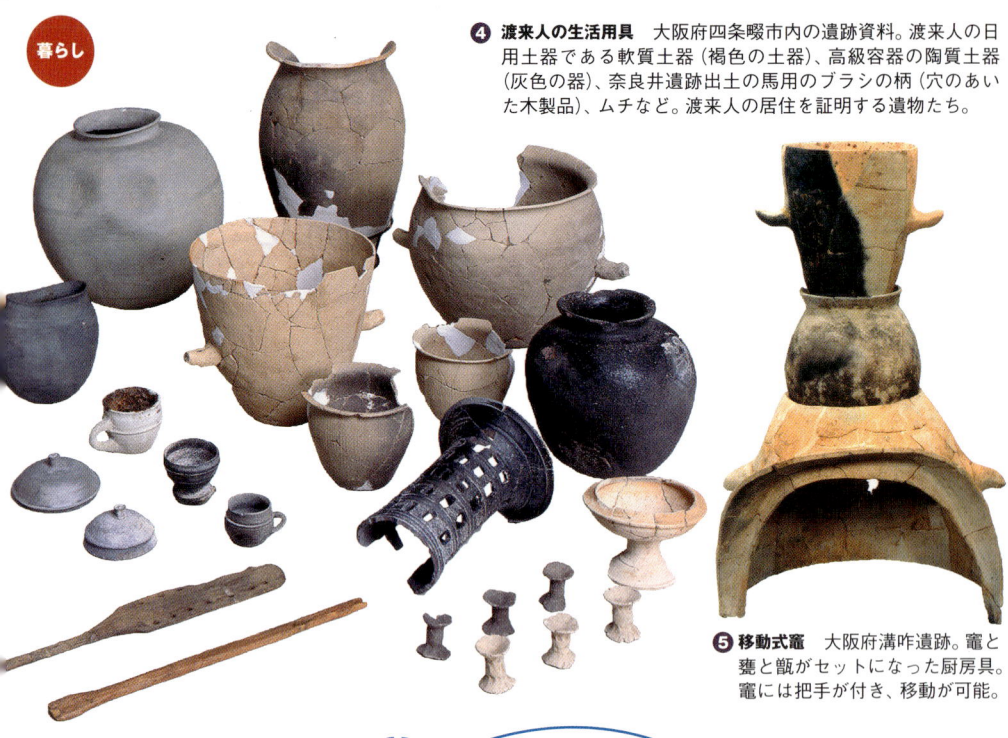

**❹ 渡来人の生活用具** 大阪府四条畷市内の遺跡資料。渡来人の日用土器である軟質土器（褐色の土器）、高級容器の陶質土器（灰色の器）、奈良井遺跡出土の馬用のブラシの柄（穴のあいた木製品）、ムチなど。渡来人の居住を証明する遺物たち。

**❺ 移動式竈** 大阪府溝咋遺跡。竈と甕と甑がセットになった厨房具。竈には把手が付き、移動が可能。

**❻ 竪穴住居平面図と竈**（左）
**❼ つくり付け竈**（右） 栃木県立野遺跡。竪穴住居の壁際に粘土でドームをつくり、煮炊き用の甕を2個固定する。奥から煙を屋外に排出する。左手には甑が置かれている。

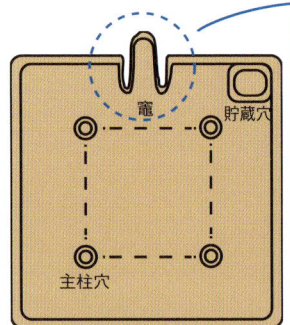

**馬生産**

**❽ 馬の埋葬** 大阪府蔀屋北遺跡。5世紀。馬を埋葬するのは、馬を生産する馬飼集団の習俗である。

**❾ 牧の発見** 群馬県吹屋中原遺跡。6世紀。榛名山噴出の軽石下に、無数の蹄跡が広い範囲に残されており、牧の跡と推定している。蹄の大きさから、馬の体高（肩までの高さ）は130cm内外とみられる。

## 13 渡来した人と文化

古墳時代に波及した文化は、手工業などの技術面だけでなく、文字の使用や騎馬文化など各方面におよんだ。文字文化は、制度や外交を深化させ、倭国の国際化や国家の成立への素地を形づくった。騎馬文化は馬の生産から使用までを一貫し、動力革命といえるエネルギー変換を促していく。同時に忘れてはならないのは生活面での変革であり、渡来した竈は速やかに定着して日本の厨房文化の根幹を成していった。

**文字**

**渡来人**

❶ **銘文を刻んだ鉄剣** 埼玉県埼玉稲荷山古墳。5世紀。115文字が刻まれており、ワカタケル（雄略）大王のもとで代々杖刀人（武官）として仕えたオワケ一族の栄光を刻んでいる。

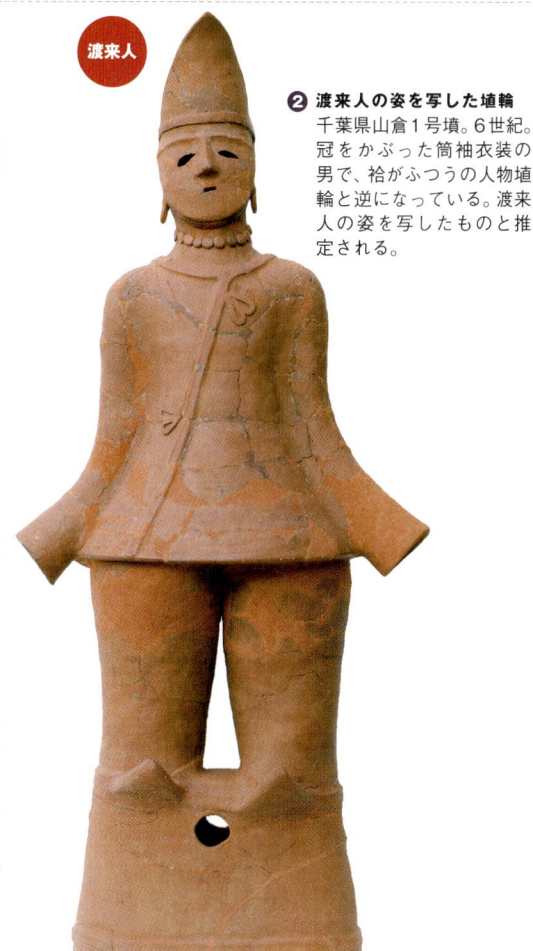

❷ **渡来人の姿を写した埴輪** 千葉県山倉1号墳。6世紀。冠をかぶった筒袖衣装の男で、袷がふつうの人物埴輪と逆になっている。渡来人の姿を写したものと推定される。

❸ **渡来人の墓・積石塚** 群馬県剣崎長瀞西遺跡。5世紀。渡来人の墓は、外形や構造のちがい、副葬品の内容から識別できる場合がある。群馬県地域の5・6世紀では、積石塚としてその出自が識別されていた。

# 14 居館と水利

## 独立する首長居館

古墳時代に先立つ弥生時代には、戦乱に備えて深い溝を巡らした環濠集落が築かれ、地域の中核となっていました。西日本の環濠集落のなかには、ムラ人の家とともに首長の住まいや祭殿とみられる大型建物があり、やぐら、倉、工房などが設けられた例もみられます。

古墳時代になると環濠集落は消滅し、首長の住まいは集落から独立します。古墳前期の奈良県纒向遺跡では大型建物が並んで検出され、首長居館が早くに成立したことが明らかとなりました。大阪府法円坂遺跡などでは、規則的に並んだ倉庫群（中期）がみつかっており、穀物や財物を納める一大倉庫群が設置されていたことを示しています。

## 水利と居館

群馬県三ツ寺Ⅰ遺跡（中期）は、山麓水源地に進出した有力首長の居館です。柵で囲われた九〇メートル四方の館が、広い濠で囲まれています。張り出しを設けた石を貼り、各所に張り出しを設けた内部空間には大型建物、井戸、水道橋（掛樋）で水を流し込んだ石敷の導水祭祀場、従者の家、工房があります。湧水をせき止めた濠は貯水池となっており、堤敷・堰の築造をともなう高い治水技術が投じられています。その背景に、大規模な灌漑事業・農業水利事業を

56

実施が推測されますが、これは新たな渡来系技術の獲得によって実現したものです。水利事業は、湧水の掌握、川の制御、水路の開削、貯水池の築造、掛樋の構築、小区画水田による用水運用が一連となっており、これに導水祭祀というソフトウェアがセットになっています。居館は、こうした地域の農業経営並びに地域祭祀の拠点として機能したのです。

## 導水祭祀の意義

ところで、右のような水にかかわる祭祀施設は、近年ヤマト地域を中心に発見例が増加しています。三重県城之越（じょのこし）遺跡では水源を加工し、石を貼って清浄にしつらえた祭祀施設がみつかりました。奈良県南郷大東（なんごうおおひがし）遺跡では、谷間に小さな池を造り、そこから上澄み水を樋で導いて槽に受け、祭祀をおこなう施設が検出されました。奈良県南紀寺（みなみきでら）遺跡からは井泉の水を導いた玉石敷きの広大な空間がみつかっています。

最近出土例が増えた、前方後円墳の造出に置かれた家形埴輪群も、首長居館を考える材料になります。奈良県赤土山（あかつちやま）古墳の裾には石張りの区画が設けられ、平地建物・高床建物・高床倉庫を象った埴輪が並んでいます。区画部には張り出しや谷も表現されていて、三ツ寺Ⅰ遺跡のあり方をほうふつとさせます。谷底には水をまつる建物も造形され、居館の実態がよく反映されています（図08項④）。

こうしてみると、外来の新技術によって水利と農業を刷新し、水を治めまつることが、倭の大王と首長らに共有された先進の地域経営スタイルであったと推定されるのです。水利事業をすすめる豪族たちが共有したこうした祭式は、前方後円墳での祭式と同様に、ヤマト政権のメンバーシップの証だったと考えられます。

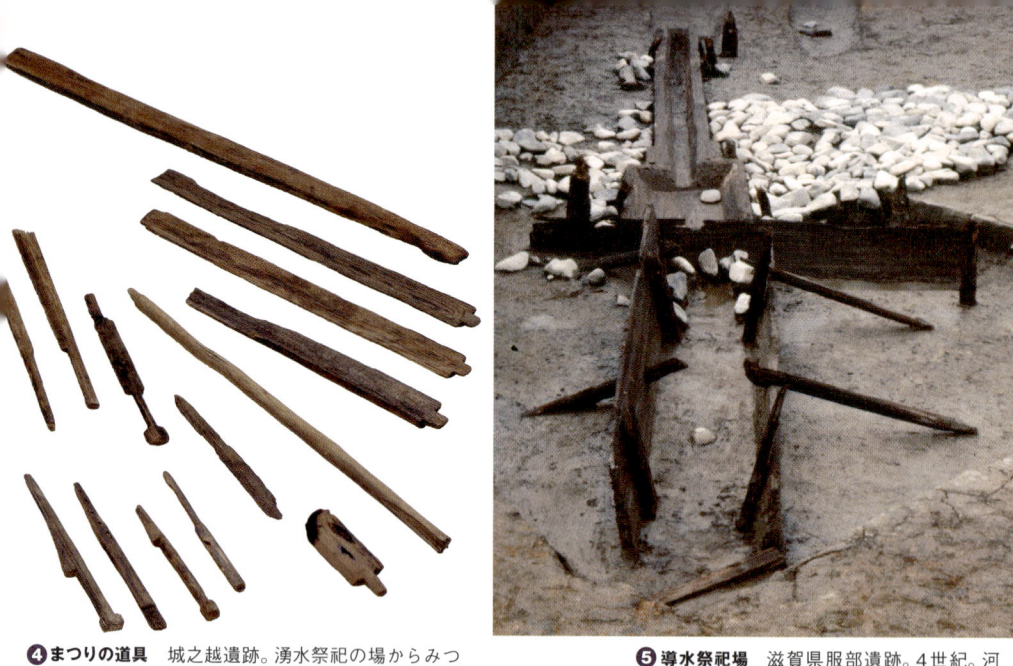

❹ **まつりの道具** 城之越遺跡。湧水祭祀の場からみつかった出土品の一部。刀をかたどった木製品で、これらをつかった所作儀礼がおこなわれたのだろう。

❺ **導水祭祀場** 滋賀県服部遺跡。4世紀。河川から分流した水を小さな池で浄化し、上澄みを石敷内の木槽に導く。流れる水を用いた祭祀の跡とみられる。

❻ **導水祭祀場を模した埴輪** 三重県宝塚1号墳。5世紀。囲みのなかの家の屋根を外すと、水を受ける槽が表現されていた。❺のような施設をかたどった埴輪にちがいない。

❸ **三ツ寺Ⅰ遺跡復元模型** 90m四方の石貼りの館は、幅30m・深さ3mの濠で囲まれている。内部には大きな建物があり、水道橋で聖水が引きこまれる。井戸や導水施設などの祭祀施設も備わっており、地域経営と祭祀の拠点施設。

## 14　首長居館とまつり

弥生時代の首長は、ムラのなかで民衆と暮らしたが、古墳時代の首長はムラの外の独立したゾーンに住み、まつりごとをおこなった。地域の農業・手工業経営や民衆の労働マネジメント、交易や軍事などをおこなうほか、神まつりもまた重要な首長の用務であった。

❶**古墳時代成立期の王宮**　奈良県纒向遺跡。整然と並んだ3世紀の建物群がみつかった。箸墓古墳にも近く、邪馬台国の王宮とする説もある。

❷**大王の倉庫**　大阪府法円坂遺跡。ずらりと並んだ大型の倉庫群（5世紀）が発掘され、1棟が復元されている。王権の港である難波津に近く、収穫後に集められた穀物などがここに集約されていたのであろう。大王の居館が近くにある可能性が高い。

❸**湧水のまつり**　三重県城之越遺跡。湧水の一帯に石貼りや立石を施した4世紀の祭祀遺跡。大型の建物も存在し、伊賀の豪族が湧水祭祀をおこなった聖域と考えられる。

❼**首長居館**　群馬県三ツ寺Ⅰ遺跡。深い濠に囲まれ、石貼りを施した巨大施設がみつかった。内部を目隠しする3重の柵を備える。

# 15 明らかになったムラの実態

古墳時代になると首長の館はムラから独立しました。では一般のムラとは、いったいどのようなものだったのでしょうか。従来、古代のムラには**竪穴建物**\*に加えて**掘立柱建物**\*の発見によって、古代集落のイメージは大きく転換しました。ところが、群馬県地域の火山灰に埋もれたムラの表の情報が残されていたのです。群馬県黒井峯遺跡を中心として、そこには、予想以上に豊富な地表の情報が残されていたのです。

まず、ムラのなかには、世帯とよべるようなまとまり（単位）があることがわかりました。竪穴建物一軒ないし数軒に対して、垣で囲われたエリアがともなっています。このような単位には規模の差があり、そうした単位が台地上のあちこちに点在し、道で結ばれています。家族構成の変化によって垣を足し、拡張していったようです。

垣のなかには、簡単な**平地建物**\*がたくさんあります。平面形には方形と円形があり、細い柱を埋めて（打ち込んで）つくった枠に屋根を掛けたものや、細木を縛ってつくったパネルを何枚も立てて方形に連結し、屋根を掛けたものなど、何通りかの造りがみられます。壁も屋根も草葺きです。火山灰でパックされなければ確認が困難であった建物であり、華奢な構

\* 竪穴建物
五〇センチから一メートルの深さの穴を掘って床とし、伏せた形の屋根を架けたもの。

\* 掘立柱建物
深い穴を掘って複数の柱を立て、比較的しっかりした枠組みをつくり、これに屋根を載せた建物。

\* 平地建物
簡単な壁の上に屋根を乗せ、地面を床にした建物。

造のためしばしば建て替えたことでしょう。

平地建物には、竈がある住居、物を納めた倉、大甕や木の曲物(まげもの)を埋め込んだ醸造所らしき小屋、内部が複数のスペースに分かれた家畜小屋などがあり、多様な用途に分かれていました。このほかに、柱を総柱(そうばしら)*にして床を上げ、高床とした掘立柱建物もありました。垣の内には畑もあり、稲の苗のようにこまめな管理が必要なものを植えた場所(陸苗代(おかなわしろ))だったとする説があります。一角には完形の土器を集めた場所があり、神まつりの場だったとみられます。遺構のない空間は広場で、脱穀や天日干しなどの作業スペースとなっていたのでしょう。古い竪穴建物の窪みは、半ば埋もれてゴミ捨て場となっていました。

垣を出ると道が縦横に延び、二人が並んで歩けるような幹線から、一人幅の踏み分け道が分岐していきます。交差点もあり、その脇には土器が置かれて、神がまつられていたようです。ムラのなかには、さらに大規模かつ多量の土器を集めた区画があり、皆が集うムラの中心的なまつり場だったとみられます。谷のほうに降りていくと泉があり、水汲みの壺が備えられています。泉の水は、狭い谷水田に流れ込み、やがて広い水田地帯へと導かれています。

ムラの近くには、直径一〇メートル(トル)ほどの小型古墳がまとまって築かれた群集墳があります。横穴式石室の口をあけて死者を追葬できる家族墓です。黒井峯遺跡の竪穴建物からは、古墳から出土するような装飾品がみつかっています。つまり群集墳は、竪穴建物に暮らしたムラ人たちの墓だと考えられるのです。おそらく、ひとつの単位(世帯)がひとつの古墳に対応し、世帯群である集落の墓域が、群集墳の範囲に対応するのではないかと考えられます。

*総柱 四周の柱だけでなく、内部にも柱を立てて床を受けた建物で、なかに重量物を入れるための高床の倉庫とみられる。

61

❻ **竪穴住居のようす** 1m以上掘り込み、柱を立て屋根を架ける。屋根は草を葺いた後に土をかけ、さらに草を葺くサンドイッチ構造で、あいだの土が断熱材として機能した。壁際には竈があり、煙突で煙が排出される。

平地建物

平地建物

❼ **竪穴建物** 中筋遺跡。竪穴建物のサイズは4〜5m四方。周りには、掘り上げられた土が土手状に巡っている。

❽ **ムラの交差点** 黒井峯遺跡。ムラの道は一人歩きの道と並んで歩ける幹線があり、ムラの要所では交差点が確認できる。交差点の脇にはまつりの場もあった。

凡例:
- 竪穴住居
- 平地住居
- 平地建物
- 掘立柱建物
- 家畜小屋
- 道
- 柵
- 水場
- 水田
- 献立てした畑
- 単位のグルーピング
- 大型祭祀場

❿ 黒井峯遺跡集落図

0　40m

❾ **土器をうずたかく積んだ祭祀跡** 下芝天神遺跡。5世紀。ムラの一角にうず高く積まれた土器群。新品が多く、祭祀のために集積されたとみられる。神と共食したのだろうか

# 15 古墳時代のムラの姿

榛名山の噴火で埋もれた群馬県の集落遺跡を発掘すると、火山灰の下に当時の地面が残っており、ムラの具体像が明らかとなった。ここでは、榛名山東麓の中筋遺跡（5世紀）と黒井峯遺跡（6世紀）をモデルにして、往時のムラの姿を紹介する。

家畜小屋

竪穴建物

**1 平地建物** 西組遺跡。この建物は地面を床にし、柱を立てて屋根を掛けていた。内部は3区画に分かれており、家畜小屋と推定されている。左方の浅い溝は糞尿を溜めた溝とみられる。

**2 平地建物** 中筋遺跡。地面に浅い溝を巡らし、パネル状に枝を組んだ壁を落とし込んだと考えられる。内部からは新品の土器がたくさん出土し、倉庫と考えられる。

**4 復元したムラの模型** 竪穴建物のほかに、地面を床とした多くの平地建物があり、柵で囲われた範囲が世帯と考えられる。世帯は道で結ばれ、柵の内外には畑がつくられている。土器を備えたまつりの場が各所に存在している。

**5 畑** 黒井峯遺跡。溝（さく）を掘って土を起こし、なかに土を寄せて畝立てしている。畑は広大な広がりをもつが、この畑は柵のなかにつくられていた。管理が必要な稲の苗を植えた陸苗代という説がある。

**3 軽石に埋没した黒井峯遺跡** 後方の榛名山から噴出した軽石が、ムラを焼き、数mもの厚さで降り積もった。軽石を除去するとムラがそっくり出現し、地表の微妙な起伏で土地利用が明らかになった。断面には焼けた柵や柱、屋根などが軽石の変色として確認できた。

# 16 古墳時代人の暮らしぶり

前節ではムラの姿を概観しましたが、つづいてムラ人の暮らしに接近してみましょう。

## 家のつくり

彼らの基本的な住まいは半地下式の竪穴建物で、屋根はテント型の草葺き屋根でした。東日本で火災にあった建物を調査すると、二層の草葺き屋根のあいだに土が挟まっています。土は断熱材であり、保温性を高めて冬を乗り切ったのでしょう。こうした竪穴建物のほかに平地建物も多く保有され、なかには夏用の住まいもあったとみられます。

## 厨房と食卓

五世紀からムラには竈が導入されました。住居の壁際につくり付けた竈には甕が埋め込まれ、ここでお湯を沸かし、蒸器を載せて調理したのです。竈の奥の煙突から煙が排出され、生活環境も大きく改善されました。これとは別に屋外の竈もあり、焼き物などは屋外でおこなったのでしょう。『魏志倭人伝』によると、倭人は食事を「高坏に盛り付け、手づかみで食べた」といいます。高坏には木製や樹皮製もありますが、粘土を赤く焼き上げた**土師器**\*の高坏が多用されました。脚のない坏も多く出土し、個人毎の食器（銘々器）が発達したようです。五世紀以後は高級な須恵器（12項）が登場しますが、庶民への普及は少量にとどまりました。ほかに、容器として木製の**刳物**\*や**曲物**\*が用いられました。

\* **土師器**
窯を用いないで焼き上げた伝統的な土器。酸化焼成によって赤く発色する。

\* **刳物**
木を刳り抜いて作った器。

\* **曲物**
木を薄く削ぎ、湿気等を与えて曲げ、容器としたもの。

64

## 古墳時代人の姿

この時代の成人男子の**平均身長**\*は人骨の計測から一六三センチ内外とされ、その容姿は埴輪から推定できます。男は長髪を脇で束ねた美豆良とよぶ髪型で、高位の者はお下げのように長く垂らし、飾り紐で縛りました。女はアップした長髪を頭上で折りたたみ、リボンや**竪櫛**\*、鉢巻でまとめていました。ただし、埴輪は儀礼用のドレスアップした姿を写しており、男女とも日常はもっと動きやすくしていたことでしょう。

豪族は、男女ともおしゃれに着飾り、金ピカの装身具や美しい玉を身に付け、左前で合わせた上衣に、男はズボン、女はスカート（裳）を合わせるツーピースの服装でした。プリーツスカートやパッチワークの衣装をまとった人物埴輪もみられます。太い帯を締め、巫女はタスキを掛け、布地は絹とみられ、金のスパンコールや鈴を付けたものもありました。その家族の一部は、金メッキの耳飾りやガラス玉・勾玉を連ねた首飾りくらいはもっていたようです。男は刀や弓矢も所持し、有事の際には兵として従軍したのでしょう。

庶民の衣装はよくわかっていませんが、下半身が省略された男女の埴輪は貫頭衣などワンピースをあらわしたのかもしれません。木綿は導入されておらず、麻など植物繊維で織った着物が主流でした。しかし、ムラの各世帯の長などを葬った群集墳の出土品をみると、長やその家族の一部は、金メッキの耳飾りやガラス玉・勾玉を連ねた首飾りくらいはもっていたようです。

埴輪の表現から、皮や繊維を編んだ履物があったようで、出土品には下駄も知られていません。また、豪華な椅子をあらわした埴輪から、豪族が大陸の文化を取り入れて、儀礼などの際に、板を組み合わせた椅子を用いていたことが明らかです。

\*平均身長
男子は一六三センチ、女子は一五一センチで、大正時代以前の日本人で最も高い。

\*竪櫛
幅が狭く、櫛歯が長い形状の櫛。古代に多用され、かんざしのように髪型を整えるのに用いた。

❻ **木の器たち** 愛知県山崎遺跡。人びとは土器だけでなく、刳物の木器や、樹皮を加工した曲物も多く用いた。しかし、その多くは腐ってしまい、湿地の遺跡のみに残される。

❼ **煮炊きの器・食卓の器** 大阪府長原遺跡。後方が竈に掛けて使う甕や甑。前方には食器(坏・高坏)がみえる。手前の灰色の土器は比較的高級品の須恵器、左方の赤色のものは土師器とよばれる日常品である。『魏志倭人伝』には「倭人は籩豆(高坏)を用い手食す」とあり、高坏から手づかみで食べたようだ。6・7世紀には中国に習い、儀礼等に箸が導入された。

❽ **竪穴住居の様子** 栃木県磯岡遺跡。一辺が5mほどで、壁中央に竈がある。火災でたくさんの土器がそのまま残されている。右の発掘の様子は同県権現山遺跡。

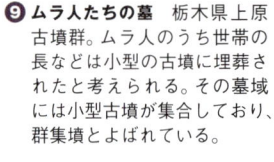

❾ **ムラ人たちの墓** 栃木県上原古墳群。ムラ人のうち世帯の長などは小型の古墳に埋葬されたと考えられる。その墓域には小型古墳が集合しており、群集墳とよばれている。

## 16 人びとのすがた　くらしの道具

豪族の姿は埴輪や古墳の出土品から明らかとなるが、庶民の服飾はよくわかっていない。食についても器のことは知られているが、具体的な食生活は不明なことばかりだ。衣食住は、今後最も研究が必要な分野である。

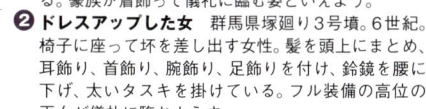

❶ **盛装した男**　群馬県綿貫観音山古墳。6世紀。堂々とした立ち姿の男。立派な被り物、太いお下げ髪（下げ美豆良）、鈴付の太帯を締め、刀を帯びる。上衣の裾にも鈴がつけられている。ズボンは膝上で紐（足結）で縛られ、裾はヒレ状に張り出すような装具をつける。豪族が着飾って儀礼に臨む姿といえよう。

❷ **ドレスアップした女**　群馬県塚廻り3号墳。6世紀。椅子に座って坏を差し出す女性。髪を頭上にまとめ、耳飾り、首飾り、腕飾り、足飾りを付け、鈴鏡を腰に下げ、太いタスキを掛けている。フル装備の高位の巫女が儀礼に臨むようす。

❸ **ムラ人の姿**　群馬県綿貫観音山古墳。6世紀。馬をひく男をあらわしたもので、耳の横に束ねた上げ美豆良を結い、被り物を被る。❶と同じ古墳の出土だが、サイズが小さく、身なりも質素であり、当時の庶民の姿を反映している。（❶〜❸国〈文化庁〉保管）

❹ **力士**　福島県原山1号墳。5世紀。ふんどしを締めポーズをとる力士。豪族の儀礼のほか、ムラの祭礼でも相撲がおこなわれたことだろう。

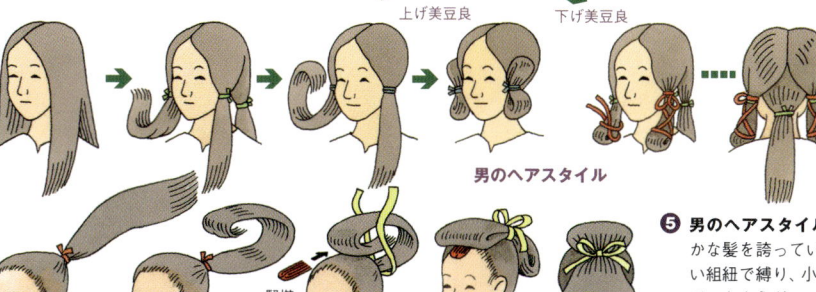

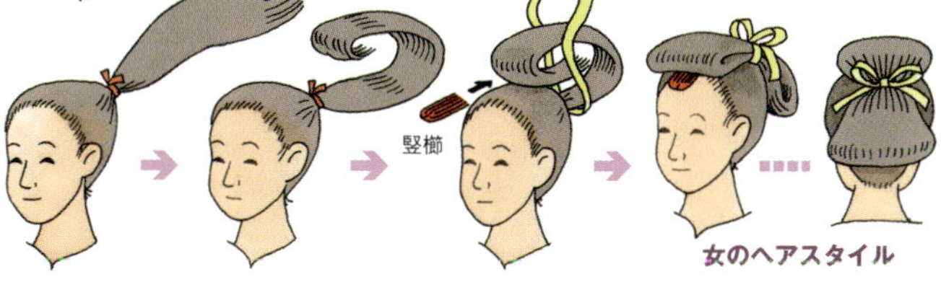

❺ **男のヘアスタイル**　古墳時代は男も豊かな髪を誇っていた。下げミズラは美しい組紐で縛り、小袋に入れたりして飾っていたようだ。

**女のヘアスタイル**　頂部でまとめた髪を前後にまとめ、紐や鉢巻でしばり、かんざし状の櫛（竪櫛）をさして固定した。

# 17 広がる小区画水田

古墳時代における生業の基本は農耕でしたが、田や畑*の跡を発見するのはなかなか困難です。竪穴建物などは地面を深く掘り込むためその痕跡が残りますが、農地は日々耕され、いったん放棄されるや急速に風化してしまうからです。しかし、発掘調査の激増で低地部の調査が進むと、火山灰や洪水に埋もれた農業遺跡の発見例が増加してきました。

**水田** 古墳時代の水田は、今日と同様、アゼで区画し、水をたたえるように設計されています。度重なる噴火により各時期の水田が重なってみつかった群馬県同道遺跡の事例をみると、古墳前期の田は一辺が一〇㍍内外の大区画で不定形な形状でしたが、中期になると一枚が二畳ほどの小区画の水田が出現し、これを規則的に見渡す限り連ねていく水田景観が生まれました。そして平安時代には再び大区画に戻っていくのです。

**小区画水田**は、古墳時代に広くみられることから、効率的な農法として伝来したものと推定されます。いわば平野の棚田であり、小区画を連接することで土地の起伏に沿ったきめ細かい用水の運用を可能としたのです。火山灰でパックされた群馬県下の事例でみると、太いアゼで囲われた大きなブロックが基本の経営単位であり、そのなかを傾斜に即して小さく区

*畑
畑は本来「焼畑」を示す漢字で、通常は「畠」を用いたが、ここでは常用漢字である「畑」に統一する。

*稲藁の利用
戦前までの農村では、縄・蓑（雨具）、藁沓、藁製容器（保温具）、家畜舎や畑への敷き藁など、藁がさかんに二次利用された。古代にも同様の利用が推定される。

68

割りしています。しかも、小区画のアゼは毎年壊し、田面に草の鋤き込み（刈敷）をおこなうことで養分を補給した後、再び配水を確認しながらつくり直されることがわかっています。絶妙に掛け流された用水は、大ブロックの末端で集められて次のブロックに送られます。

当時の水田では、規則的に並んだ稲株の跡がみつかります。このため田植えがおこなわれた可能性が高く、苗の生育は集落の特別な畑（陸苗代）でおこなわれたと考えられます。このころから鉄鎌が普及するため、稲刈りは鉄鎌でおこなわれたとみられます。収穫法には穂首刈と根刈がありますが、古墳時代には藁打ち用の木槌が多く出土するため稲藁の利用*が進んだと考えられ、根刈が普及した可能性が指摘できます。

**畑**　火山灰に埋もれた畑では、一定幅で溝を切り、畝立てした今日の畑と同じような景観がみられます。**陸稲**\*や麦、粟などの雑穀の栽培とともに、桑・麻など紡織にかかわる作物の栽培もおこなわれたことが**化学的分析**\*からわかります。その他の畑作物はなかなか明らかになりませんが、**万葉集**\*などにみるように、芋・菜・豆など多様な作物が栽培されたと推定されます。このように、水田の営めない乾燥地も、広大な畑作地として利用されていたのです。

**家畜・家禽（かきん）**　弥生時代以降、豚の存在が指摘されており、『日本書紀』には猪飼集団がいたことが書かれています。また、古墳後期には**馬鍬（まぐわ）・唐鋤（からすき）**\*の出土例が増え、家畜の農耕利用がはじまったと考えられます。また、牛形埴輪が稀にみられることから、牛が王に占有されていた可能性が指摘できます。奈良時代の貴族は貴重な**乳製品**\*を食べていましたが、それが古墳時代に遡る可能性も否定できません。家禽としては鶏が知られ、埴輪にも造形されています。

\***陸稲（おかぼ）**
イネを畑で栽培したもの。

\***化学的分析**
植物の種類を特定する分析として、花粉分析・珪藻体分析などがある。珪酸体分析はイネ科に含まれるガラス成分（プラントオパール）を検出し、その量によって稲作の存否を検討するもの。

\***万葉集**
奈良時代にまとめられた古代歌謡集。古代人の心情のほか、自然や農作物も歌いこまれている。

\***馬鍬・唐鋤**
馬や牛に装着した牛馬耕用の農具。

\***乳製品**
蘇や酪と称される。乳を煮詰めたり精製したチーズやヨーグルト様のもの。薬として用いられた。

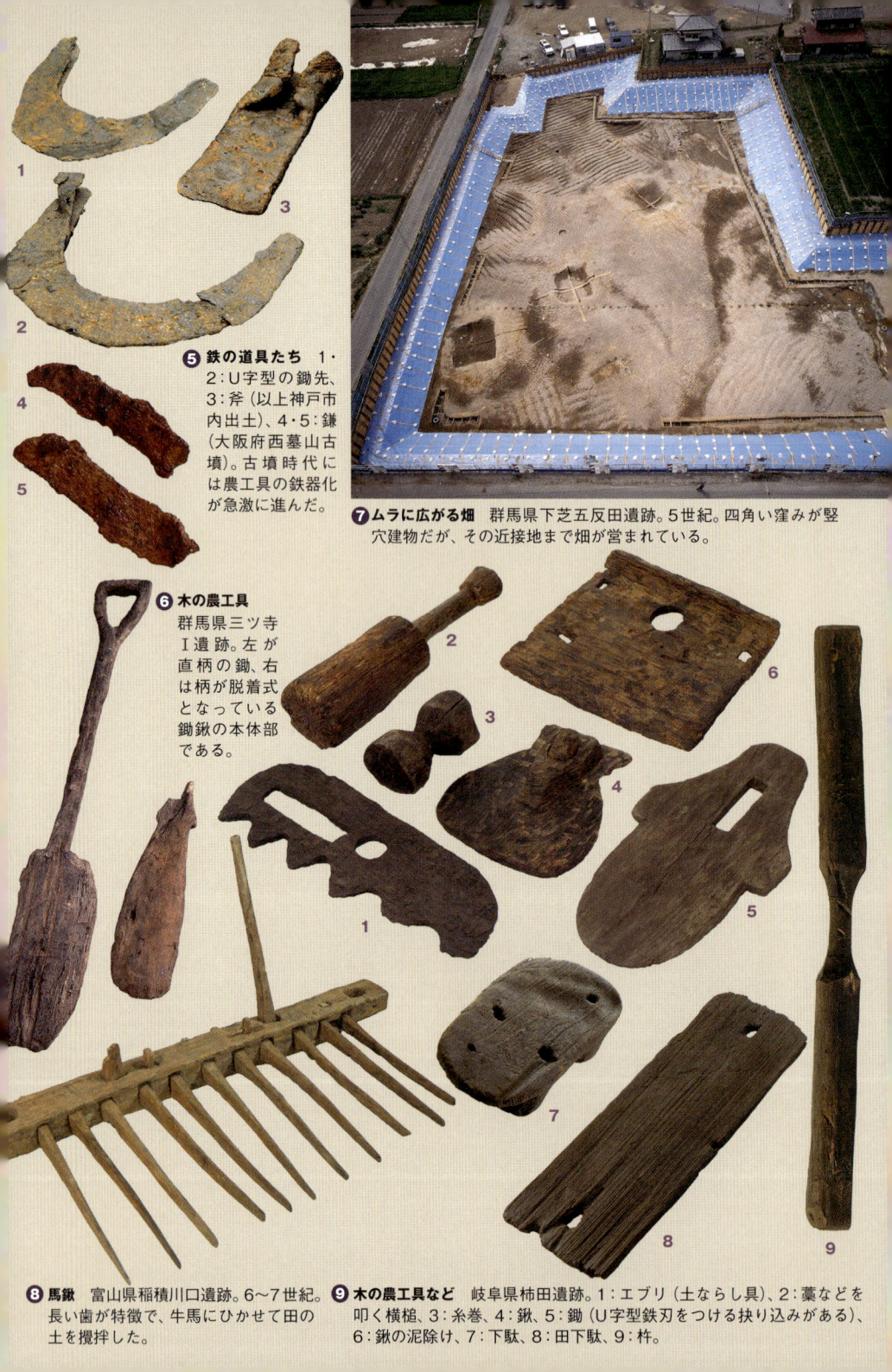

**❺ 鉄の道具たち** 1・2：U字型の鋤先、3：斧（以上神戸市内出土）、4・5：鎌（大阪府西墓山古墳）。古墳時代には農工具の鉄器化が急激に進んだ。

**❼ ムラに広がる畑** 群馬県下芝五反田遺跡。5世紀。四角い窪みが竪穴建物だが、その近接地まで畑が営まれている。

**❻ 木の農工具** 群馬県三ツ寺Ⅰ遺跡。左が直柄の鋤、右は柄が脱着式となっている鋤鍬の本体部である。

**❽ 馬鍬** 富山県稲積川口遺跡。6〜7世紀。長い歯が特徴で、牛馬にひかせて田の土を攪拌した。

**❾ 木の農工具など** 岐阜県柿田遺跡。1：エブリ（土ならし具）、2：藁などを叩く横槌、3：糸巻、4：鍬、5：鋤（U字型鉄刃をつける抉り込みがある）、6：鍬の泥除け、7：下駄、8：田下駄、9：杵。

## 17 みつかった田と畑

古墳時代の水田は、アゼの区画が2m四方ほどの「小区画水田」であり、それが連なって広範囲に広がっている。地形の起伏にそって田を効率よくつくり、用水を徹底運用するために採用された手法である。水が乏しい乾燥地には、畝立てした畑が広く経営されていた。

**❶ 火山灰に埋もれた小区画水田** 群馬県御布呂遺跡。5世紀。地形と直交して縦アゼを先につくり、水配分を整えながら横アゼを盛りつけた。田面には足跡が無数に残る。

**❷ 水路と水田（左）** 群馬県元総社明神遺跡。5世紀。曲がりくねった水路に沿って大畔があり、両脇に小区画水田が広がる。

**❸ 雨の後の水田（上）** 群馬県萩原団地遺跡。5世紀。雨後の状態で、水が均等にたまっている。

**❹ 牛の埴輪** 大阪府今城塚古墳。6世紀。古墳時代には牛の数は少なかったが、埴輪に造形されることから王の所有物だったとみられる。

# 18 寒冷化と神への祈り

## 環境変化

福井県水月湖の堆積物にみる中国からの飛来物（土壌）の経年変化、鹿児島県屋久杉の炭素同位体比*からみた気温変化、群馬県尾瀬ヶ原などの泥炭層に封じられた花粉量の変移、年輪セルロース酸素同位体比分析*などによると、弥生時代後期から古墳時代前半は、かなり湿潤で、今より二度ほど気温が低い寒冷期であったと推定されています。

寒さは世界的で、ヨーロッパでは五世紀にゲルマン民族の大移動がおこり、世界最大のローマ帝国*が滅亡しました。中国でも三世紀前半（後漢末期）から北方民族鮮卑*が南下し、四世紀から一〇〇年以上諸民族が争う混乱の時代（五胡十六国時代）がつづきました。これら民族の大移動は、気候の悪化に起因するとされています。

西日本では、弥生後期の水田が砂に埋没している例が多く知られており、寒冷化による植生の変化や降雨量の増加によって洪水が頻発したとみられています。また、東日本では浅間山や榛名山、富士山の噴火があり、噴煙による日照不足などもおこったと想像されます。

このように、寒冷化のために農業生産物および動植物への影響が生じ、食糧難や居住域の減少、疫病の流行などによって、国際的な人の移動や紛争が発生したのです。これまで述べ

*炭素同位体比
原子を構成する原子核には陽子と中性子が組み合さっているが、中性子の数が異なるものをそれぞれ同位体とよぶ（たとえば炭素12、炭素14など）。
生物の炭素同位体の比の変化を調べることで生育や環境の履歴を知ることができる。

*年輪セルロース酸素同位体比分析
樹木の年輪に含まれた酸素同位体の比を一年ごとに比較することで、長期にわたる雨量の変動と雨期が循環するサイクルを研究する。

72

たように、古墳時代には社会の統合や国際化が大きく進みましたが、これは政治的な動きだけではなく、環境変化という、止むなき事情に突き動かされた面も無視できません。

**祭祀** こうした自然の驚異に対して、人びとは技術的な対処もおこないましたが、一方で神に祈ることによって災厄を鎮め、神の意志を聞いておこなうを判断するという宗教的側面を強くもっていました。そうした人びとの行動の結果残されたのが各地の祭祀遺跡です。

福岡県沖ノ島では、朝鮮半島への航海の安全をねがって古墳時代から平安時代まで祭祀がつづけられ、祭祀様式の変遷をたどることができます。まず古墳前期には巨岩の上に祭場が設けられますが、中期後半には岩陰に、奈良時代には露天の場に祭場が移行します。神への供物は、銅鏡・武器・武具・馬具・装身具・土器・石製模造品、鉄製品や土器のミニチュア品がみられ、古墳の副葬品と共通しています。このため古墳の被葬者そのものも神格化されていたとみる説もあります。

古来日本では、神々は形がなく浮遊し、岩などの憑代(よりしろ)に下りると観念されていました。『古事記』には、琴の音色が響くなかで神が司祭に下り、その口を借りて神意を述べる様が記されていますが、人物埴輪群像の一部にはまさにその場面が表現されています。

神がまつられたのは、姿の優れた山、巨岩、峠・港湾・川などの交通の要衝や難所、14項に紹介した井泉やそこから水を引いた祭場などでした。祭場では、木製の**形代**(かたしろ)*が多く発見され、神を迎えて多様な**所作儀礼***がおこなわれたようです。また、土器の集積の多くも祭場と考えられ、ムラの辻や樹の下、田畑の脇などに**八百万の神々**(やおよろず)*がまつられたと考えられます。

*西ローマ帝国
ローマ帝国は前二七年にオクタビアヌスの統一によって帝政時代を迎え、最大版図になるが三九五年に東西に分裂。このうち西ローマ帝国は四七六年にゲルマン人によって滅ぼされた。

*鮮卑
モンゴル系の遊牧民族で、四世紀には中国華北に侵入し、燕や北魏などの王朝を建国。

*形代
神に捧げたり、まじないをおこなうために用いられる雛形品。金属・木・石・土で実在する器物などの形を写したもの。

*所作儀礼
祭祀の場で、しぐさを真似ておこなわれる儀礼。狩祀の真似をする狩猟儀礼、農作業を真似る農耕儀礼など。

*八百万の神々
無数の神が存在し、多くの物に神が宿ることを表現した日本古代の神観念。

73

**磐座祭祀** 山や巨岩に神が下るという磐座信仰は、今も全国にみられる。磐座のまわりでは祭祀土器や玉などが出土する。

❹ **神がおりる石** 静岡県天白磐座遺跡。露頭した巨岩があり、周囲から祭祀遺物が出土。

❺ **天白磐座遺跡のミニチュア土器**

**居館での祭祀** 地域の経営拠点である居館では、井戸や導水施設を中心にして大規模で中核的な祭祀が実施された。埴輪群像は首長が生前におこなった神まつりの姿を写したものと考えられる。

❻ **豪族居館三ツ寺Ⅰ遺跡の導水施設**（右の石敷と溝の部分）群馬県。5世紀。

❼ **三ツ寺Ⅰ遺跡出土の石製模造品** 斧・剣・勾玉・鎌などをかたどった石製の形代が多量に献じられた。

❽ **神占に臨み琴を弾く男** 福島県原山1号墳。5世紀。

❾ **三ツ寺Ⅰ遺跡での祭祀の様を写した埴輪群像（復元）** 群馬県八幡塚古墳。5世紀。首長と巫女・琴弾きなどが対面している。

## 18 神々へのいのり

古墳時代豪族の地域支配においては、政治・経済・軍事活動などとともに、神まつりもきわめて重要であった。八百万の神をまつる日本の祭祀の原点は古墳時代に遡上する。

**海路・陸路の祭祀**　広範囲に行動した古墳時代人は、各所で交通の安全を祈願した。海路では、朝鮮半島への往来の無事を祈る福岡県沖ノ島の祭祀、伊勢湾の航行を見守る三重県神島の祭祀などが知られる。陸路の安全祈願は険しい峠が代表的で、岐阜・長野県境の神坂峠や長野・群馬県境の入山峠などで祭祀遺跡がみられる。これらは行路の安全とともに、外界からの災いを防ぐ境界の祭祀でもあった。

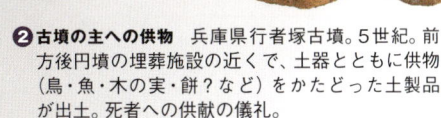

**古墳での祭祀・儀礼**

❷ **古墳の主への供物**　兵庫県行者塚古墳。5世紀。前方後円墳の埋葬施設の近くで、土器とともに供物（鳥・魚・木の実・餅？など）をかたどった土製品が出土。死者への供献の儀礼。

**ムラでの祭祀**　人びとが暮らすムラのなかにも多くの祭祀の場が存在した。大量の土器（図15項❾）や形代を供える大小の祭場が発掘され、人びとの祈りの多様さを伝えている。

❸ **供えられた形代**　三重県草山遺跡。5・6世紀。人形やミニチュア土器、供物をかたどった土製品が出土。

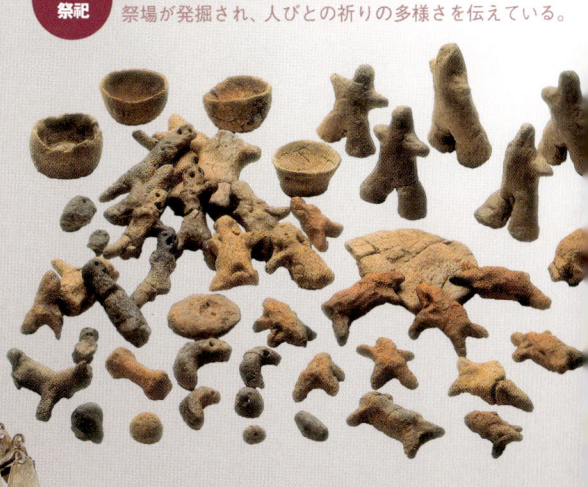

❶ **沖ノ島の祭祀**　福岡県沖ノ島。古墳時代から平安時代までの祭祀場。朝鮮半島との外交ルートにあたり、国家的祭祀がおこなわれた。出土品も、前方後円墳から出土するような豪華な品が供えられた。

# 19 海民の考古学

日本列島は四方を海に囲まれ、沿岸部の人びとは海民として生きてきました。ここでは古墳時代の人びとの海（川）とのかかわりを考えてみましょう。

**船** 古墳時代の船には、丸木船と、板材を組み合わせた準構造船がありました。後者の部材は低湿地の遺跡からも発見されており、その全形は古墳の装飾や線刻画、船形埴輪から知ることができます。船形埴輪は中期の古墳からしばしば出土し、最も有名な三重県宝塚1号墳の埴輪は、大刀や盾・儀杖*・蓋を立てて飾った壮麗な外洋船をあらわしています。海民たちはこうした船を操船し、漁労、物資の流通、東アジア外交などをくり広げました。近年では復元古代船の操船実験もおこなわれました。その結果、航海には水や食糧補給のために頻繁な寄港が必要であり、海賊対策も併せて沿岸豪族の連携が必要であったことが指摘されています。瀬戸内海沿岸の吉備や日本海側の湾岸に位置する丹後や若狭（福井県西部）に築かれた大型古墳は、そうした海路や港湾を押さえた豪族の威勢を偲ばせます。

**漁労** 魚の捕獲方法には、網・釣・刺突による漁があり、川や湖沼ではこれに加えて定置の仕掛け漁（エリやヤナ）が知られています。網の重りである土錘が集落から出土し、鉄製

***儀杖**
首長の権威を示すために用いられる杖。頭部に権威的なデザインが施されている。

76

の釣針・ヤス・銛は古墳の副葬品として出土します。古墳時代には貝塚が少ないものの、縄文時代以来、豊富な海産物を食していたことはまちがいないでしょう。他の考古資料としては、イイダコを捕獲する蛸壺や骨製のアワビオコシが検出されます。海産物は日本の重要な資源であり、カツオ・アワビ・イカ・海藻などは、奈良時代には租税（調）として都に収められています。古墳時代においても、こうした海産物が交易品として機能したことでしょう。

また、飼われた鵜をあらわす埴輪の出土は、鵜飼による アユ漁の実施を教えてくれます。なお、遡上するサケなどの漁もさかんだったことが、魚の埴輪の存在から示唆されます。

### 製塩

人間の生命に不可欠な塩の生産は、縄文時代からはじまって、弥生時代に西日本で展開し、古墳時代になると一気に増加します。瀬戸内海沿岸、若狭湾、紀伊半島、愛知県知多半島などで製塩遺跡が調査されています。多くは専用の製塩土器を用い、海水を火にかけて煮詰め、塩を得る方式でした。塩は貴重な交易品であるとともに、古墳時代にはじまった馬の生産にも必須のものでした。

### 海民の墓制

海岸部からは、海蝕洞穴を利用した古墳時代の墓がみつかります。そこでは前方後円墳に匹敵する鉄製甲冑や馬具、装身具等が副葬されていました。海民の長のなかには古墳を築造せず、海を臨む葬地に墓所を定める者がいたのです。千葉県大寺山洞穴などでは前方後円墳に匹敵する鉄製甲冑や馬具、装身具等が副葬されていました。海民の長のなかには古墳を築造せず、海を臨む葬地に墓所を定める者がいたのです。千葉県大寺山洞穴などでは船を棺とし、魂の行き先が海の彼方にあるとする、海上他界の観念の存在も指摘されています。横穴式石室に絵を描いた装飾古墳には被葬者が船にのる図像があり、古墳の埋葬施設にも舟形の木棺が存在するなど、葬送と船には密接なかかわりがあったようです。

**船と海運（水運）** 朝鮮半島との交流、沿岸地域への物資流通、内海や河川での移送など、古墳時代人は船を盛んに操った。

**5 発掘された船** 大阪府久宝寺遺跡。5世紀。板材を組み合わせた準構造船の実物が出土。

**6 復元船「海王」の航海実験** 宇土市などが古代船を復元し、航海実験をおこなった。水と物資補給が重要で、沿岸の協力が不可欠なことがわかった。

**船と葬送** 沿岸地帯では、実物の船を棺にして人を海蝕洞窟内に葬る例が知られる。首長級の副葬品が添えられる場合もあり、古墳以外の墓制が存在したことがわかる。なお、古墳の埋葬施設（粘土槨や石槨）にも船形をしたものがあり、舟形の木棺の存在を推定させる。

**7 船形埴輪** 三重県宝塚1号墳。5世紀。大型の船を造形した埴輪。船上に大刀・儀杖・蓋が立てられ、伊勢の海を支配した首長を象徴する。

**8 洞窟に置かれた舟の棺** 千葉県大寺山洞穴。5世紀。舳先を海に向けて、複数の舟の棺が置かれていた。

## 19 海とともに

海とは切っても切れない日本列島の人びと。古墳時代にもそれを示す遺物が多く存在する。

**製塩**　塩は人間の生命維持に不可欠であり、食を豊かにするための調味料・保存料であるとともに、貴重な交換財でもあった。

**漁労**

❷ **魚形埴輪**　千葉県白桝遺跡。6世紀。珍しい魚の埴輪は千葉県に集中。漁労集団を象徴するものか？

❶ **製塩炉と製塩土器**　和歌山県西庄遺跡。5・6世紀。古墳時代の塩は、粗製の製塩土器に海水を入れ、炉で煮詰めてつくられた。下の写真は石を敷いた炉が2層に重なり、長期間製塩がくり返されたことがわかる。古墳時代の土器製塩遺跡は、東海・北陸以西の沿岸部で発達した。

❸ **網のおもり（土錘）**　愛知県伊勢山中学校遺跡。土製品の穴に網の一部を通して連ね、投網の重りとして用いた。

❹ **釣針**　愛知県松崎遺跡。伊勢湾に面した砂堆の遺跡で出土。鉄製。ほかに鹿角製の釣針もあった。

❾ **円筒埴輪に線刻された船**　奈良県東殿塚古墳。4世紀。吹き流しのような立物と多数のオールが描かれている。

# 20 古墳時代の社会景観

**社会景観のモデル**　これまでに述べてきた古墳時代の社会の姿を、火山灰に埋もれた群馬県榛名山麓地域の遺跡群の発掘調査成果から復元してみましょう。地域の中心には首長居館（三ツ寺Ⅰ遺跡）があり、それを核にして、周囲にムラが展開しています。ムラには黒井峯遺跡にみられたような竪穴建物や平地建物が群在した景観が推定され、倭人とともに渡来人の存在も確認されます。

水源地にある居館を拠点として広域の治水がおこなわれ、低湿地に用水を効率的に配分し、広大な水田が営まれています。水源地より標高が高い山麓部には、畑作地帯や牧が開かれ、多角的な土地利用が実践されました。また、水源地のすぐ近くには、首長が眠る前方後円墳や、首長を支えた中間層の墓である群集墳が築かれています。丘陵地には須恵器や埴輪の窯が築かれ、さかんに煙を上げています。こうした社会像は、列島の有力首長の傘下の地域において、規模の大小は別としてもおおむね普遍化できるものでしょう。

**王権中枢の景観**　奈良県の南郷遺跡群では、もっと大規模な王権中枢の社会景観が明らかにされています。後に葛城氏とよばれる大豪族の膝下の社会様相です。

80

奈良盆地の南西部、金剛山東麓の丘陵地から低湿地にまたがる地理環境に南郷遺跡群はあります。低地部では森林が開かれ、水田が広く営まれており、低地にのぞむ盆地端部には巨大前方後円墳である室宮山（むろのみややま）古墳や掖上鑵子塚（わきがみかんすづか）古墳（一五〇メートル）が築かれました。背後の丘陵上には群集墳（巨勢山（こせやま）古墳群など）が造られ、大首長配下の集団墓所となっていました。

丘陵の裾には、斜面に石を貼った首長居館（名柄（ながら）遺跡）がみつかっています。そこから丘陵部に上がると、集落や工房群が展開しています。最も高所の極楽寺ヒビキ遺跡には、石を張った基壇の上に、祭儀用の高層建物（高殿（たかどの））が配置されていたことが明らかとなりました。この高殿は古墳出土の家形埴輪と類似し、埴輪が実在の建物を写した可能性も考えられます。谷に降りると、導水祭祀をおこなった施設（南郷大東遺跡）が設けられていました。

なかでも、丘陵上の遺跡群の構成は重要です。そこには、**大壁住居**（おおかべ）＊の存在から渡来人技術者も住んでいたことがわかります。ここでは、多様な手工業生産の痕跡を見いだすことができます。南郷角田（なんごうかくだ）遺跡では、金・銀・銅・ガラス製品、鉄製品、鹿角製品の遺存から、これらを複合し、金工を駆使した武器製作工房の存在が推定されています。このほか、鉄製農工具をつくる集落、玉造り集団の居住を推定させる資料、製塩土器の存在から推定される塩の流通など、多様な活動が復元できるのです。

このように、ヤマトの主要地域のひとつである葛城地域の遺跡群構造がわかってきたことは古墳時代研究にとってきわめて重要なことです。渡来人と手工業を掌握した中央政権の具体像が、次第に明らかになろうとしています。

＊**大壁住居**
四角く巡らした溝のなかに細かく柱を立て、土を塗って柱を土壁のなかに埋め込み、屋根を掛けた建物。渡来人の住居様式と考えられる。

❼ **導水祭祀場** 南郷大東遺跡。谷間に所在。水を貯め、上澄み水を樋で屋内に導いて祭儀を実施した。14項にみる水の祭祀施設。

❽ **手工業生産を示す遺物** 南郷角田遺跡。金工品の製作を物語る銀滴。ほかにも鉄片などが出土し、複合的な手工業生産がおこなわれたと考えられる。

**地方**

**地方の古墳時代社会像**

❾ **上毛野（群馬県）の5世紀の社会景観**
榛名山の南麓。山裾の湧水地を押さえて首長居館三ツ寺Ⅰ遺跡（中心下方）が築かれ、農業水利を掌握。ここを拠点に政治・祭祀をおこなう。周囲に集落や水田が広がる。湧水地帯の上には古墳群（保渡田古墳群）があり、渡来人の墓や畑作地帯が展開。おそらく牧も存在したはずだ。

# 20 古墳時代の地域社会

ここでは最近の研究で明らかになってきた、地方とヤマト王権中枢の古墳時代社会の構造を紹介する。

**ヤマト**　**奈良県葛城地域の5世紀の社会景観**
大和盆地の南西部、平地から丘陵にかけて遺跡群が展開し、首長の居館や祭祀場、工人集落などの配置がわかってきた。

❶ 南郷遺跡群の景観

❷ 南郷遺跡群の構造と葛城の遺跡

❸ **渡来人の家**　南郷遺跡群林遺跡。カマドの煙道が壁に沿って曲がった「L字カマド」は、オンドル（朝鮮半島系の排煙暖房施設）とみられる。

❹ **渡来人の長の家**　南郷柳原遺跡。細い溝のなかに柱を細かく立て、土を塗って壁とした「大壁住居」。外来の様式で、渡来技術者の長の住まいとみられる。

❺ **豪族の居館**　名柄遺跡。広い濠と石垣を検出。首長居館と推定される。

❻ **高殿の復元イラスト**　極楽寺ヒビキ遺跡。高所に220㎡の巨大建物が存在。豪族の象徴的な建築物。

# 21 最後の古墳、古墳の周辺

## 古墳の終わり

前方後円墳は西日本では六世紀後半に終焉し、関東でも少し遅れて姿を消します。奈良盆地では五条野丸山古墳や平田梅山古墳（一四〇メートル）を最後にして築造を停止します。時は、中国**隋**＊にならって新国家体制をめざした推古天皇・厩戸皇子（聖徳太子）・蘇我馬子の治世。政治システムや思想の転換が、前方後円墳を過去のものとさせたのです。

しかし、古墳そのものは次の飛鳥時代（七世紀）まで造られました。これを終末期古墳とよびます。飛鳥の宮や**藤原京**＊を営み、壮麗な仏教寺院を建立した時代になっても、旧来の墓制は根強く残ったのです。

前方後円墳の後、最上位の墓となったのは方墳でした。これは隋・**唐**＊や高句麗の王陵が方形だったからで、倭国が古墳時代の豪族連合状態を脱却し、中国風の国家をめざしたことに関係します。奈良県植山古墳（四〇×二七メートル）や、石舞台古墳（一辺五一メートル）、大阪府山田高塚古墳（一辺六三メートル）などが代表的で、地方でも最有力の豪族は大型方墳を築造しました。

このころ政治を支配した蘇我氏とその系統の王族が方墳を、非蘇我氏系が円墳を採用したとする意見もあります。なお、方形の基壇の上に円墳をのせた上円下方墳も知られています。

＊隋
五八一年に中国の南北朝を統一して成立した大帝国。六一八年に唐に政権を移譲した。

＊藤原京
奈良県橿原市に造営され、六九四年から七一〇年まで存続した日本最初の中国風の都城。

＊唐
隋の後六一八年に建国。広大な領域を確立して国際的文化を形成した。九〇七年に滅亡。

84

その立地は、前代に比べて、丘陵中腹や谷間の南斜面が好まれ、大陸の**風水思想**\*の影響が考えられます。外形が小さくなる一方で内部に凝り、墓室を切石で精緻に組み上げたり、巨石をくり抜いて加工し、稀には漆喰を塗って壁画を描くことがおこなわれました。

七世紀中ごろには八角墳が創出されて最上位に位置づきますが、奈良県段ノ塚古墳、牽午子塚古墳、**野口王墓古墳**\*など、大王陵(天皇陵)にほぼ限られたようです。

渡来人や有力農民、下級官人たちが葬られた群集墳もこの時期までつづきました。副葬品も武器・装身具・馬具などが出土することから、おもに円墳が群を成す集団墓地です。富の蓄積が進んでいたことを教えてくれます。群集墳とは、これらの階層の人びとにまで、富の蓄積が進んでいたことを教えてくれます。しかし、奈良時代(八世紀)を迎えると、群集墳も一斉に終焉してしまいます。古墳という古いしきたりは終わりを告げ、新時代のシンボルである仏教思想にもとづいた弔いがなされるようになったのです。平城京\*で新たな政治体制(律令体制)が築かれると、

### 前方後円墳の周辺

一方、古墳時代には古墳以外の墓制があったことも忘れてはなりません。北日本には、続縄文文化やオホーツク文化の**土壙墓**\*や木槨墓が、南西諸島には貝塚後期文化の土壙墓が存在し、前者には土器や鉄器・石器などの副葬が、後者には遺体に貝輪の装着がみられるなど独自の文化を有していました。また、古墳文化が栄えた地においても、洞穴葬、横穴墓、地下式横穴墓、土壙墓が重複していました。とくに横穴墓は古墳と並んで分布し、古墳を造った集団とは異なる階層・出自・職掌の人びとが存在したことを示しています。このように古墳時代の墓制は、じつは複層的かつ多様であったのです。

---

\* **風水思想**
中国の自然観にもとづく思想で、風や水の流れ、方位や陰陽の気などに適した建築や墓づくりをおこなおうとするもの。

\* **野口王墓古墳**
中世の盗掘の記録から、天武天皇(六八六年没)と妻の持統天皇(七〇三年没)の合葬墓と考えられる。

\* **平城京**
七一〇年に現在の奈良市に造られた大規模な中国風の都城で、七八四年まで継続。

\* **土壙墓**
素掘りの穴に遺体を埋葬するもの。

**古墳以外の墓制**

日本列島では「南の文化」・「中の文化」・「北の文化」のそれぞれに異なる墓制が存在した。加えて、「中の文化」である古墳文化においても、高塚古墳以外の墓制が重層していた。

❼ **横穴墓の全景** 茨城県十五郎穴横穴群。崖を掘り込んで墓室を設ける横穴墓は古墳後期〜奈良時代に隆盛し、東北から九州まで分布。近年韓国でも発見された。写真の遺跡では34基が群在。近くには古墳も併存している。

❽ **横穴墓の内部** 福島県中田横穴墓。横穴墓の形状は横穴式石室と類似する。この横穴は大型で馬具や刀など首長墓級の遺物をもち、装飾画もあった。

❿ **地下式横穴墓の出土品** 宮崎県島内横穴墓群。5世紀。甲冑をはじめ首長墓級の副葬品が出土した。

❾ **地下式横穴墓** 九州南部（宮崎・鹿児島）に偏在する。5世紀に出現。平地に竪坑を掘り、そこから横穴を掘る。上部に墳丘をもつものもある。写真は宮崎県西都原4号地下式横穴墓。

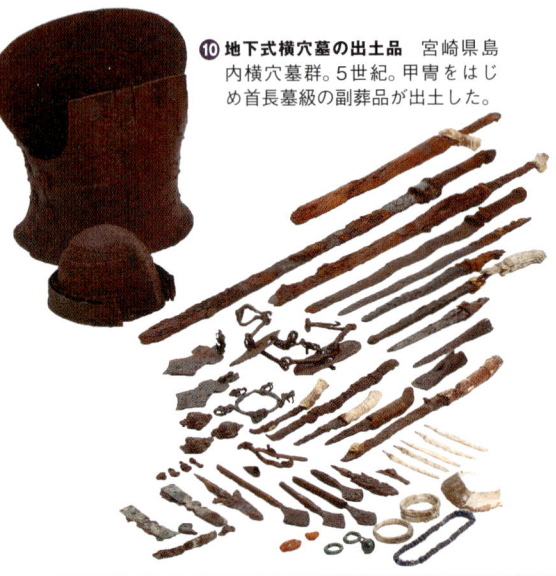

⓫ **北方の墓制** 北海道モヨロ貝塚（オホーツク文化）の土壙墓。屈葬の遺体頭部に土器を被せる習俗がみられる。

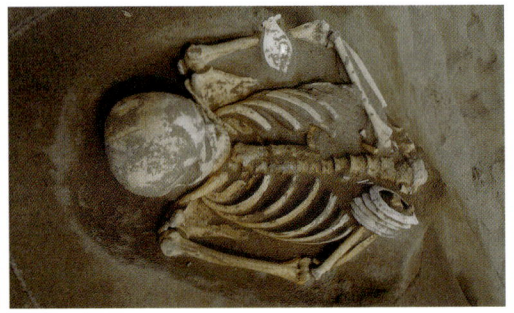

⓬ **南西諸島の墓制** 鹿児島県種子島広田遺跡。海浜部に営まれた集団墓で土壙墓から貝製腕輪を付けた人骨が検出された。

## 21　飛鳥時代の古墳・古墳以外の墓制

**終末期古墳**　前方後円墳が終焉した後にも、古墳は100年ほど継続する。方墳をはじめ、八角墳なども創出された。外観は小さくなったが、内部のしつらえは充実した。巨石を割り抜いた石槨を内蔵し、極彩色の壁画で飾るものもある。しかし、かつての前方後円墳のような象徴性はすでになく、豪族たちは仏教寺院の造営に力を注いでいった。

❶ **方墳**　奈良県植山古墳。7世紀初頭。前方後円墳の後に最上位となったのは、このような方墳である。植山古墳は推古女帝と息子の竹田皇子の合葬墓とする説もある。

❷ **上円下方墳**　東京都熊野神社古墳。7世紀前半。一辺32mの方形の基壇上に円墳を載せたもの。復元整備されている。

❸ **八角墳**　奈良県牽午子塚古墳。7世紀後半。古墳の裾に巡る敷石が八角墳であることを証明している。斉明女帝の墓とする説がある。

❹ **群集墳**　兵庫県東山古墳群。7世紀。横穴式石室を備えた小・中型の円墳が10基ほど集合する。

❺ **最古の仏像**　奈良県飛鳥寺の釈迦如来像。7世紀初頭。終末期古墳が造られていたころ、社会のシンボルは仏教寺院に移っていった。

❻ **壁画古墳**　奈良県キトラ古墳。7世紀末。一枚石を合わせて造った石槨の内部に漆喰を塗り、中国思想にもとづく伝説の動物である四神や、天体を表現した宿星図が極彩色で描かれている。こうした壁画は、中国や高句麗の影響下にある。左は玄武、右は朱雀。

# 22 まとめ――古墳時代の社会をめぐって

## （1）古墳時代の首長像

**首長の機能**　日本では、弥生時代に本格的な農耕社会が誕生しました。農耕、とくに稲作においては、種まきから収穫にいたるまで、長期にわたる人びとの協業が欠かせません。このとき、時間や労働を管理し、集団の利害調整や富の分配をおこなう権限が、優れた人物に任されました。その人物は、共同体を代表して他集団との問題を解決し、ときには武力を用います。こうして首長（王）が誕生するのです。彼らは農政や生産を司るとともに、交易によって資源や財物を入手するなど、富を共同体にもたらす役割を担っていました。

古墳時代になると、前代にみられた地域間の緊張関係が解消され、首長たちの連合が創り出されました。これがヤマト政権です。前方後円墳とそこでの儀礼・祭祀を共有することで連帯感を醸し出し、そのネットワークを通じて鉄などの物資が供給されました。加えて鏡・武器・武具・装身具など威信財の配布等によって、勢力間の調和が保たれたのです。

## システムとしての古墳づくり

ヤマト政権のなかでの首長たちの威勢は、基本的に古墳の大きさであらわされました。このため中期までの前方後円墳は巨大化をつづけ、濠や堤を巡らし、多量の埴輪を並べて外観を競っていました。すなわち、前方後円墳は巨大な「みせびらかし」の装置だったのです。

地域のなかでは、古墳という巨大建造物によって神聖な首長（神聖王）の権威は維持されました。また古墳の造営は技術・知識を進歩させ、土木事業や手工業などの地域経営に利用されました。首長の生前からはじまったとみられる古墳造りや、死後の葬送儀礼への参加は、共同体の社会的結束を高め、同時に富が首長から民衆へ再分配されるシステムとして定着していたと考えられます。おそらく古墳の築造は、共同体に不可欠な事業として、古墳時代社会のサイクルに組み込まれていたのでしょう。このことで、日本列島に五〇〇〇基もの前方後円墳をはじめ多数の古墳が造られたわけが理解できます。

**男王と女王**　ところで副葬品からみると、首長の性格

*88*

が前期から後期に向けて、司祭→武人→官僚と変化していくと05項で述べましたが、前期にはひとつの古墳に男女のキョウダイを併せて葬ることがあり、政治と祭祀を性別によって分担していた可能性が指摘されています。また、前期までは女性首長が珍しくなかったことが人骨研究から判明しています。しかし、中期以降になると前方後円墳の築造地が固定し、古墳群が形成されていくことから、首長の継承法が変化したと考えられます。埼玉稲荷山古墳の鉄剣銘文にみるように男系継承*1が優位となり、後期後半には氏族*2が成立すると考えられています。

## （2）中央と地方そして国家

### ヤマトと地方

 地方の古墳である埼玉稲荷山古墳や熊本県江田船山古墳の刀剣には、その持主が代々の大王へ奉仕した事績や、かれらの職制（杖刀人や典曹人*3）が刻まれています。これにより、五世紀には地方豪族が中央に出仕するシステムが存在していたことが明らかになりました。『日本書紀』には、火（熊本県一帯）・吉備・上毛野・紀（和歌山県）などの地方首長が、朝鮮半島で軍事行動や外交活動をおこなった記事があります。首長たちは地元を治めるとともに、中央に出仕し、ヤマト政権の用務も果た

したと考えられます。古墳時代首長はわたしたちが思うより広く活動していたのです。

 こうした地方とヤマトとの関係性には、次の二つの見方が存在します。ひとつは近畿地方の勢力が政治・経済・外交・軍事のすべての面で圧倒的に優勢であったと考える説、もうひとつはヤマトが主導的でありながらも、有力地方首長も政権を分担する緩やかな連合体であったという考え方です。

### 前方後円墳体制説と初期国家

 前者の立場からは、古墳時代にヤマト地域の巨大前方後円墳を頂点として、墓の形と大きさで表示された身分制が存在したとする都出比呂志の「前方後円墳体制説」が提起されています。前方後円墳の分布範囲にみる文化領域、身分制をコントロールする政府、居館や古墳の築造にみる労働徴発権、巨大倉庫群の存在にみる租税制、刀剣銘文にある職制など、ここに官僚制の萌芽をみとめ、古墳時代を「初期国家」の段階にあるとこの説は規定します。

### 豪族連合と神聖王権

 一方、後者の立場からの主張もさまざまになされています。たとえば、前方後円墳体制は厳格なものではなく、そのシステムに柔軟に参加・離脱することができたとする考えがあります。小首長らがある理由

で大首長を共立し、一時的に前方後円墳が造られるが、その必要が解消すると連合は分解し、前方後円墳も消失するという指摘です。こちらの立場では、政治システムは、大王と首長らの人格的な関係にもとづく「部族連合」の段階にとどまっていたとみなされます。

経済システムにおいても、中央が生産と流通をコントロールする宝器(威信財)を媒介として富を消費する、未成熟な「威信財経済」の段階にあり、巨大な古墳の造営とそこでの祭祀をみせつけることによって社会秩序を維持する「神聖王権」のレベルにとどまっていたとする意見があります。すなわち、法と官僚によって支配される「国家」の前段階であったとするのです。

右の諸説では、おおむね飛鳥時代(七世紀)以後を「本格国家・成熟国家」とする点では一致します。しかし、古墳時代そのものの評価となると決して一様ではないのです。初期国家を認める立場のなかでも、その開始については三世紀と五世紀説が存在し、都出比呂志が整理した「七五三論争*4」は、いまだ決着をみていません。

**(3) 古墳文化のエピローグ**

**王権の強化と半島情勢** 三五〇年つづいた古墳時代において、ヤマト王権の力は前期には弱く、後期になって強化されていきますが、そのなかでもあるときは弱まるという振幅をもっていました。

五世紀には、宋との外交、渡来人の政治への参画によって王権の力が強まりました。古市・百舌鳥古墳群の継続期間の後半期(中期中ごろ)から、地方の前方後円墳の規模が縮小することも、王権の規制の強化(**雄略大王***5の時期)を物語っています。朝鮮半島南西部の栄山江流域に前方後円墳が出現し、倭の文化的影響が広がるのもこのころの現象です。

**巨大古墳群の終焉** つづいて到来する古市・百舌鳥古墳群の終焉は、大きな社会変動のあらわれといえます。六世紀前半には巨大前方後円墳の造営地が淀川北岸に移動し、大阪府高槻市今城塚古墳が成立しますが、これを大王位継承の危機にあたって登場した**継体大王***6と関連して説明する説が有力となっています。『日本書紀』にはこの時期、朝鮮半島での倭の活動に重大な変化が生じるとともに、北九州の豪族筑紫君磐井が反乱した記事がみられ、王権の揺籃があったと推測されます。

**首長の官人化と屯倉** 六世紀後半には、王権と地方豪族との関係が大きく変わります。主要な経済的・軍事的な要

衝を王権の直轄下に置く「屯倉（みやけ）」の設置や、豪族を地方官に任命して地域支配を任せる「国造制（くにのみやつこせい）」がはじまったのです。『日本書紀』には、六世紀に中央の蘇我氏を派遣して岡山県域に児島屯倉・白猪屯倉を設置した記事があり、日本最古級の碑である群馬県高崎市山上碑（六八一年造立）にも東国に屯倉（佐野屯倉）が設置されたことを証明する碑文が刻まれています。また、『日本書紀』にも、国造の位を争う**武蔵地域の豪族の内紛**[*7]と、それにつづく屯倉の大量設置記事が記されているのです。

## 中央と地方の関係の変化

国造制に連動して部民制もはじまりました。島根県岡田山一号墳出土の大刀に刻まれた「額田部臣（ぬかたべのおみ）」（六世紀後半）の文字がそれを証しています。額田部は、推古天皇（幼名は額田部皇女（ひめみこ））に物資を貢納するために設定された集団（部民・名代（なしろ））で、銘文の額田部臣は彼ら部民を統括した地方豪族であり、中央にも出仕していたとみられます。国造以外の地方豪族も直接中央に組織化され、官人化への道を歩む動きがみてとれます。

これらの制度によって王権の政治的・経済的基盤は強化され、中央氏族の地方への関与・移住も進みましたが、地方豪族のなかにもこれを契機に中央と結んで技術移入や経済振興を進める者があって、双方向的な動きがうかがえま

す。六世紀後半に西日本で前方後円墳が下火になっても、関東地方で大型・中型前方後円墳が造りつづけられる現象は、そうした観点から説明されています。

## 前方後円墳の終焉

六世紀末以降は、推古天皇・厩戸皇子・蘇我馬子による政権下で遣隋使が派遣されるなど、中国文化や国家制度の摂取が急がれ、入れ替わるように古墳時代の象徴であった前方後円墳は終焉します。巨大記念物によって豪族たちの連合を示し、その威光によって集団をまとめた時代は終わりを告げ、法と官僚と仏教による律令国家の構築をめざす動きが加速していくのです。

註
* 1 **男系継承** 埼玉稲荷山古墳鉄剣には、上祖オオヒコから当代オワケまでの八人の男系の系譜が刻まれている。
* 2 **氏族** 共通の祖先をもつという意識で結ばれた集団。
* 3 **杖刀人・典曹人** 前者は武官、後者は文書を司る文官とされる。
* 4 **七五三論争** 三世紀・五世紀・七世紀にそれぞれ政治的画期がありどこに国家の成立を認めるか、論争がつづいていることを指す用語。
* 5 **雄略大王** 五世紀後半に強権を打ち立てた大王で、倭の五王最後の武とみられる。宋に上表文を送り、安東大将軍倭王の称号を得た。稲荷山・江田船山古墳の刀剣に刻まれたワカタケル大王は雄略大王と考えられる。
* 6 **継体大王** 雄略の後の王統断絶の危機に際して、北陸から迎えられた大王。北陸・淀川一大阪湾を結んだ地域の勢力を基盤として即位したと考えられている。今城塚古墳は継体の陵と考えられている。
* 7 **武蔵地域の豪族の内紛** 武蔵国造位を争った笠原氏一族の内紛に、隣国の上毛野氏とヤマト王権が介入したとする『日本書紀』に書かれた記事。

# 古墳時代を知る博物館と史跡公園

■博物館　□史跡公園

## 東北・関東

- □**大安場史跡公園**　東北最大の前方後方墳である大安場古墳を整備。福島県郡山市田村町大善寺字大安場160　TEL024-965-1088
- □**西沼田遺跡公園**　古墳後期の集落（平地建物・農地・水路）を復元。山形県天童市矢野目3295　TEL023-654-7360
- ■**東京国立博物館**　日本を代表する古墳時代資料を所蔵・展示。国宝の江田船山古墳出土品一括をはじめ、鏡、甲冑・埴輪など充実の資料群。東京都台東区上野公園13-9　TEL050-5541-8600（ハローダイヤル）
- ■□**埼玉県立さきたま史跡の博物館**　前方後円墳8基からなる埼玉古墳群を保存した「さきたま風土記の丘」内にある。埼玉稲荷山古墳出土の国宝の銘文鉄剣などを展示。風土記の丘の将軍山古墳は、石室観察施設が内蔵されている。埼玉県行田市埼玉4834　TEL048-559-1111
- ■□**かみつけの里博物館**　保渡田古墳群を整備した「上毛野はにわの里公園」内にあり、豪族居館三ツ寺I遺跡を中心とした5世紀の火山灰に埋もれた社会を再現展示。人物埴輪も充実している。公園内の八幡塚古墳は、石張りで築造時の姿に復元。群馬県高崎市井出町1514　TEL027-373-8880
- □**中筋遺跡**　榛名山の火山灰に埋もれた5世紀の集落（竪穴建物・平地建物・祭祀）を復元。群馬県渋川市行幸田796

## 中部

- ■□**森将軍塚古墳館**　石張りの姿に復元された森将軍塚古墳と、併設の展示館がある。長野県下の考古資料がみられる県立歴史館も至近にある。長野県千曲市屋代29-1　TEL026-274-3400
- ■**山梨県立考古博物館**　中部最大の甲斐銚子塚古墳に近接。山梨県甲府市下曽根町923　TEL055-266-3881
- ■**豊橋市美術博物館**　馬越長火塚古墳出土の馬具などを展示。愛知県豊橋市今橋町3-1　TEL0532-51-2882
- □**雨の宮古墳群**　北陸最大級の前方後方墳と前方後円墳を整備。石川県鹿島郡中能登町西馬場7部12番地　TEL0767-74-2735

## 近畿

- ■□**大阪府立近つ飛鳥博物館**　群集墳である一須賀古墳群に近接する博物館。巨大な木製修羅（土木運搬具）をはじめ大阪府全域の古墳出土品を展示。大仙陵古墳を中心とした復元模型は圧巻。大阪府南河内郡河南町大字東山299　TEL0721-93-8321
- ■**堺市博物館**　大仙陵古墳に近接し、百舌鳥古墳群めぐりの拠点となる施設。百舌鳥古墳群出土の遺物などを展示。大阪府堺市堺区百舌鳥夕雲町2丁　TEL072-245-6201
- ■□**高槻市立今城塚古代歴史館**　安満宮山古墳の鏡や今城塚古墳の人物埴輪群像など充実の展示。今城塚古墳に近接。やや離れた新池埴輪製作遺跡も必見。大阪府高槻市郡家新町48-8　TEL072-682-0820
- □**法円坂遺跡**　5世紀の倉庫群を保存し、1棟を復元。大阪歴史博物館（大阪府大阪市中央区大手前4-1-32　TEL06-6946-5728）に近接している。
- ■**奈良県立橿原考古学研究所附属博物館**　王権中枢の古墳出土資料を多数展示。黒塚古墳の鏡群、藤ノ木古墳の華麗な馬具や装身具、メスリ山古墳の巨大埴輪などひじょうに充実。奈良県橿原市畝傍町50-2　TEL0744-24-1185
- □**馬見丘陵公園**　巨大前方後円墳の巣山古墳、帆立貝形古墳の乙女山古墳、葺石張りに復元されたナガレ山古墳などを取り込んだ丘陵上の広大な公園。奈良県北葛城郡河合町佐味田2202　TEL0745-56-3851
- ■**滋賀県立安土城考古博物館**　新開古墳の甲冑や馬具、安土瓢箪山古墳・雪野山古墳の鏡、鴨稲荷山古墳の装身具などを展示。滋賀県近江八幡市安土町下豊浦6678　TEL0748-46-2424
- □**和歌山県立紀伊風土記の丘**　丘陵部に前方後円墳や群集墳が展開する岩橋千塚古墳群の史跡公園内にある。大日山35号墳出土の埴輪群像などを展示。和歌山県和歌山市岩橋1411　TEL073-471-6123
- □**城之越遺跡**　4世紀の湧水祭祀遺跡を整備。三重県伊賀市比土4724　TEL0595-36-0055

## 中国・四国

- ■**古代吉備文化財センター**　特殊器台・陶棺など吉備の古墳出土品を展示。岡山県岡山市北区西花尻1325-3　TEL086-293-3211
- ■□**島根県立八雲立つ風土記の丘**　平所埴輪窯の出土品や岡田山1号墳の銘文大刀ほかを展示。山代二子塚古墳や岡田山1号墳など出雲の遺跡群を巡る拠点に位置する。島根県松江市大庭町456　TEL0852-23-2485
- ■**松山市考古館**　未盗掘だった葉佐池古墳の出土品等を展示。愛媛県松山市南斎院町乙67-6　TEL089-923-8777

## 九州

- ■□**岩戸山歴史文化交流館「いわいの郷」**　岩戸山古墳を含む八女古墳群に近接。石人・石馬ほか埴輪等も充実。福岡県八女市吉田1562-1　TEL0943-24-3200
- ■□**宮崎県立西都原考古博物館**　九州最大の古墳群の西都原古墳群に併設。関連資料を展示。宮崎県西都市大字三宅字西原5670　TEL0983-41-0401
- ■□**熊本県立装飾古墳館**　岩原古墳群に隣接。県内の主要な装飾古墳のレプリカや出土品を展示。熊本県山鹿市鹿央町岩原3085　TEL0968-36-2151

## 参考文献 （手に入りやすいものを中心に）

石井克己・梅沢重昭 1994 『黒井峯遺跡―日本のポンペイ』読売新聞社
石野博信 1995 『古代住居のはなし』吉川弘文館
一瀬和夫・福永伸哉・北條芳隆編 2012 『古墳時代の考古学』2・5・7、同成社
今尾文昭 2008 『律令期陵墓の成立と都城』青木書店
岡村秀典 1999 『三角縁神獣鏡の時代』吉川弘文館
橿原考古学研究所附属博物館編 2005 『水と祭祀の考古学』学生社
岸本直文編 2010 『史跡で読む日本の歴史 2 古墳の時代』吉川弘文館
工楽善通 1991 『水田の考古学』東京大学出版会
小林行雄 1961 『古墳時代の研究』青木書店
近藤義郎 1983 『前方後円墳の時代』岩波書店
近藤義郎編 1991・1992 『前方後円墳集成』全5巻　山川出版社
佐々木憲一・小杉康・菱田哲郎・朽木量・若狭徹 2011 『はじめて学ぶ考古学』有斐閣
佐原真 1996 『食の考古学』東京大学出版会
白石太一郎 2000 『古墳と古墳群の研究』塙書房
白石太一郎 2011 『古墳と古墳時代の文化』塙書房
鈴木靖民編 2002 『倭国と東アジア』吉川弘文館
清家章 2010 『古墳時代の埋葬原理と親族構造』大阪大学出版会
田中良之・川本芳昭編 2006 『東アジア古代国家論』すいれん舎
田中良之 2008 『骨が語る古代の家族』吉川弘文館
都出比呂志 1989 『日本農耕社会の成立過程』岩波書店
都出比呂志 2000 『王陵の考古学』岩波書店
都出比呂志 2005 『前方後円墳と社会』塙書房
寺沢薫 2000 『王権誕生』講談社
仁藤敦史 2009 『卑弥呼と台与』山川出版社
朴天秀 2007 『加耶と倭』講談社
土生田純之 2011 『古墳』吉川弘文館
土生田純之・亀田修一編 2012 『古墳時代研究の現状と課題　上・下』同成社
坂靖・青柳泰介 2011 『葛城の王都 南郷遺跡群』新泉社
坂靖 2009 『古墳時代の遺跡学』雄山閣
東村純子 2011 『考古学からみた古代日本の紡織』六一書房
菱田哲郎 2007 『古代日本国家形成の考古学』京都大学学術出版会
広瀬和雄 2003 『前方後円墳国家』角川書店
広瀬和雄編 2011 「古墳時代を体系的にみる」『季刊考古学』117、雄山閣
広瀬和雄・和田晴吾編 2011 『講座日本の考古学 7 古墳時代 上』青木書店
福永伸哉 2001 『邪馬台国から大和政権へ』大阪大学出版会
北條芳隆・村上恭通・溝口孝司 2000 『古墳時代像を見なおす』青木書店
前川和也・岡村秀典編 2005 『国家形成の比較研究』学生社
松木武彦 2011 『古墳とはなにか』角川書店
村上恭通 2007 『古代国家成立過程と鉄器生産』青木書店
森浩一 1981 『巨大古墳の世紀』岩波新書
安田喜憲 2007 『気候と文明の盛衰』朝倉書店
吉井秀夫 2010 『古代朝鮮墳墓にみる国家形成』京都大学学術出版会
吉村武彦 2010 『ヤマト王権』岩波新書
若狭徹 2007 『古墳時代の水利社会研究』学生社
若狭徹 2009 『もっと知りたいはにわの世界―古代社会からのメッセージ』東京美術

■写真所蔵・提供先一覧

桜井市教育委員会：扉，02⑤，14①／高槻市教育委員会：01①，07④，17④／佐賀県教育委員会：01②・④／宮内庁書陵部：01③，08⑧／奈良県立橿原考古学研究所：01⑤（撮影：阿南辰秀），02⑥（埋葬施設撮影：阿南辰秀），03①・③，04③・④（撮影：阿南辰秀），05①（撮影：阿南辰秀），05⑤，11②（撮影：阿南辰秀），12③，20③・④・⑦・⑧／島根県立古代出雲歴史博物館：02②，05⑨（出雲市所蔵）／出雲市：02③（島根大学法文学部考古学研究室所蔵），05⑦・⑩／氷見市教育委員会：03②，17⑧／埼玉県立さきたま史跡の博物館：03④，13①（文化庁所有）／浜松市文化財課：03⑥，18⑤／大阪府教育委員会：04⑤，13⑧／奈良県立橿原考古学研究所附属博物館：04⑥，05②〜④・⑤⑪，08①〜③・⑦，11④・⑦，12⑤・④・⑧／京都大学総合博物館：05⑥（京都大学考古学研究室保管）／藤岡市教育委員会：05⑧／梅原章一：06③〜⑤，07①，10⑤，20①／羽曳野市教育委員会：07②／堺市：07③／橿原市教育委員会：07⑤，21①／藤井寺市教育委員会：08⑤／高崎市教育委員会：08⑥，09②，13③，14⑧，15④，17①・③／田原本町教育委員会：08⑨／群馬県立歴史博物館：08⑩，11⑥，16①〜③／京都府立丹後郷土資料館：09③／神戸市教育委員会：09④，17⑤1～3／千曲市教育委員会：09⑤／宮城県教育委員会：10①／石岡市教育委員会：10②／太田市教育委員会：10③／山梨県立考古博物館：10④／名古屋市博物館：10⑥，16④（田原市教育委員会所蔵），19③（名古屋市見晴台考古資料館所蔵），19④（愛知県埋蔵文化財調査センター所蔵）／岡山市教育委員会：10⑦／さぬき市教育委員会：10⑧／八女市教育委員会：10⑨／和歌山市立博物館：11③，19①（製塩土器）／大阪府立近つ飛鳥博物館：11⑤（東京国立博物館所蔵），12⑥（奈良県立橿原考古学研究所附属博物館所蔵），13④（四条畷市教育委員会所蔵），17⑤4・5（藤井寺市教育委員会所蔵）／公益財団法人 大阪府文化財センター：12①，13⑤，19⑤／中村浩：12②／奈良国立博物館：12④（撮影：森村欣司）／守山市教育委員会：12⑨（撮影：東村純子），14⑤／宗像大社：12⑩，18①／市原市教育委員会：13②／栃木県教育委員会：13⑦，16②／群馬県教育委員会：13⑨，14②，15①，17⑥・⑦／三重県埋蔵文化財センター：14③（撮影：佃幹雄・井上直文 奈良国立文化財研究所『当時』）・④／松阪市教育委員会：14⑥，19⑦／渋川市教育委員会：15①〜③，16⑤・⑦・⑧／泉崎村教育委員会：16④／大阪文化財研究所：16⑦／壬生町教育委員会：16⑨／前橋市教育委員会：17②／高崎市教育委員会・かみつけの里博物館：17⑥（群馬県教育委員会所蔵），18⑨，20⑨／岐阜県文化財保護センター：17⑨／加古川市教育委員会：18②／三重県立斎宮歴史博物館：18③（松阪市教育委員会所蔵）／辰巳和弘：18④／福島県立博物館：18⑧／公益財団法人 和歌山県文化財センター：19①（製塩炉）／芝山はにわ博物館：19②／天理市教育委員会：19⑤／大王のひつぎ保存委員会：19⑥（撮影：読売新聞西部本社）／館山市教育委員会：19⑧／御所市教育委員会：20⑤／明日香村教育委員会：21③・⑤／多可町教育委員会：21④／奈良文化財研究所：21⑥／ひたちなか市教育委員会：21⑦／いわき市教育委員会：21⑧／宮崎県立西都原考古博物館：21⑨／えびの市教育委員会：21⑩／東京大学大学院人文社会系研究科附属北海文化研究常呂実習施設：21⑪／南種子町教育委員会：21⑫

■図版出典

福本明 2007『吉備の弥生大首長墓　楯築弥生墳丘墓』新泉社（山陽新聞社提供）：02①／国立歴史民俗博物館 1996『倭国乱る』朝日新聞社所収図を大幅に改変：02④／都出比呂志 1992「墳丘の型式」『古墳時代の研究 7』雄山閣所収図を一部改変：03⑦／高槻市教育委員会 2005『継体大王とその時代』・近藤義郎編 2002『前方後円墳集成 近畿編』山川出版社：04①／北條芳隆 2005『堅穴式石室と埋葬儀礼』『日本の考古学 下』学生社：04②堅穴式石室／大阪府立近つ飛鳥博物館 2007『横穴式石室誕生』：04②横穴式石室／白石太一郎 2007『近畿の古墳と古代史』学生社所収図を一部改変：06①／近藤義郎編 1991・1992『前方後円墳集成』山川出版社所収図を改変：06②／かみつけの里博物館 1999『よみがえる 5 世紀の世界』（金斗鉉作画）：15⑥／若狭徹 2003『古墳時代の地域社会像』『週刊朝日百科38 日本の歴史 倭国の誕生と大王の時代』朝日新聞社：15⑩／若狭徹 2009『もっと知りたいはにわの世界』東京美術（若狭作画指導・金斗鉉作画）：16⑤／坂靖・青柳泰介 2011『葛城の王都　南郷遺跡群』新泉社：20②／坂靖・青柳泰介 2011『葛城の王都　南郷遺跡群』新泉社（黒田龍二作画）：20⑥

上記以外は著者

## 著者紹介

若狭 徹（わかさ・とおる）

1962年生まれ。群馬県出身。博士（史学）。
明治大学文学部教授。
明治大学文学部史学地理学科考古学専攻を卒業後、史跡保渡田古墳群の調査・整備、かみつけの里博物館の建設・運営にたずさわる。2010年に濱田青陵賞・藤森栄一賞を受賞。
主な著書は、『古墳時代の水利社会研究』（学生社）、『古墳時代の地域社会復元 三ツ寺Ⅰ遺跡』（新泉社）、『もっと知りたいはにわの世界』（東京美術）、『はじめて学ぶ考古学』（有斐閣・共著）、『古墳時代毛野の実像』（雄山閣・共編著）、『前方後円墳と東国社会』（吉川弘文館）、『東国から読み解く古墳時代』（吉川弘文館）、『古墳時代東国の地域経営』（吉川弘文館）、『埴輪─古代の証言者たち』（角川ソフィア文庫）、『埴輪は語る』（ちくま新書）など。

シリーズ「遺跡を学ぶ」別冊04

**ビジュアル版　古墳時代ガイドブック**

2013年6月10日　第1版第1刷発行
2024年1月10日　第1版第4刷発行

著　者＝若狭 徹
発　行＝新　泉　社
　　　東京都文京区湯島１−２−５　聖堂前ビル
　　　TEL 03(5296)9620 ／ FAX 03(5296)9621
印刷／萩原印刷　製本／榎本製本

©Wakasa Toru, 2013　Printed in Japan
ISBN978−4−7877−1330−8　C1021

本書の無断転載を禁じます。本書の無断複製（コピー、スキャン、デジタル化等）ならびに無断複製物の譲渡および配信は、著作権法上での例外を除き禁じられています。本書を代行業者等に依頼して複製する行為は、たとえ個人や家庭内での利用であっても一切認められていません。

# 遺跡には感動がある

## ──シリーズ「遺跡を学ぶ」刊行にあたって──

「遺跡には感動がある」。これが本企画のキーワードです。

あらためていうまでもなく、専門の研究者にとっては遺跡の発掘こそ考古学の基礎をなす基本的な手段です。また、はじめて考古学を学ぶ若い学生や一般の人びとにとって「遺跡は教室」です。

日本考古学では、もうかなり長期間にわたって、発掘・発見ブームが続いています。そして、毎年厖大な数の発掘調査報告書が、主として開発のための事前発掘を担当する埋蔵文化財行政機関や地方自治体などによって刊行されています。そこには専門研究者でさえ完全には把握できないほどの情報や記録が満ちあふれています。しかし、その遺跡の発掘によってどんな学問的成果が得られたのか、その遺跡やそこから出た文化財が古い時代の歴史を知るためにいかなる意義をもつのかなどといった点を、莫大な記述・記録の中から読みとることははなはだ困難です。ましてや、考古学に関心をもつ一般の社会人にとっては、刊行部数が少なく、数があっても高価なその報告書を手にすることすら、ほとんど困難といってよい状況です。

いま日本考古学は過多ともいえる資料と情報量の中で、考古学とはどんな学問か、また遺跡の発掘から何を求め、何を明らかにすべきかといった「哲学」と「指針」が必要な時期にいたっていると認識します。

本企画は「遺跡には感動がある」をキーワードとして、発掘の原点から考古学の本質を問い続ける試みとして、日本考古学が存続する限り、永く継続すべき企画と決意しています。いまや、考古学にすべての人びとの感動を引きつけることが、日本考古学の存立基盤を固めるために、欠かせない努力目標の一つです。必ずや研究者のみならず、多くの市民の共感をいただけるものと信じて疑いません。

二〇〇四年一月

戸沢 充則